V R G

Chère lectrice,

Envie de séduire ... que, ce mois-ci encore, les ... tant de sources d'inspiration pour vous.

Prenez Olivia, par exemple. Pour elle, la séduction est *Un insolent cache-cache* (1213). Elle s'y livre lors d'un bal costumé — sous le masque, on peut tout se permettre, n'est-ce pas ? Hannah fait preuve de moins d'audace mais de plus de romantisme : elle regarde, de loin, *Un étranger de passage* chez elle. Comment attirer son attention ? Pour trouver des réponses, elle laisse s'éveiller de nouveau la femme en elle, doucement (1214). Franchement nostalgique, Jessy n'a jamais cessé d'aimer Shane, l'ami de son frère aîné, qui ne voyait en elle qu'une gamine. Mais maintenant que tous deux sont adultes, elle décide d'utiliser des armes de femme, d'essayer, d'oser… Parce qu'elle a *Un avenir à conquérir* (1218) et veut que ce soit avec lui.

Trois femmes, trois façons de s'y prendre, trois manières d'aimer… à découvrir dans vos romans. Sans oublier *Un heureux événement* (1215), un roman signé « Un bébé sur les bras », *Du bonheur en cadeau* (1217), et un détour par le « 20, Amber Street » pour une *Affaire de cœur* (1216).

Bonne lecture.

La Responsable de collection

[illegible]

Envie de [illegible] ? Oui, mais comment ? Gageons que vous [illegible] héroïnes de Rouge Passion seront autant de [illegible]

[illegible]

[illegible]

La Rédaction [illegible]

Un étranger de passage

BARBARA McCAULEY

Un étranger de passage

COLLECTION ROUGE PASSION

Cet ouvrage a été publié en langue anglaise
sous le titre :
IN BLACKHAWK'S BED

Traduction française de
AGNÈS JAUBERT

HARLEQUIN®

est une marque déposée du Groupe Harlequin
et Rouge Passion® est une marque déposée d'Harlequin S.A.

Originally published by SILHOUETTE BOOKS,
division of Harlequin Enterprises Ltd.
Toronto, Canada

83-85, boulevard Vincent-Auriol, 75013 PARIS — Tél. : 01 42 16 63 63
Service Lectrices — Tél. : 01 45 82 47 47
ISBN 2-280-11980-3 — ISSN 0993-443X

1.

Bienvenue à Ridgewater, Texas, 3 546 habitants, la ville du plus gros cake du monde !

Quel accueil ! pensa Seth Granger en arrêtant sa Harley. Face à lui se dressait un panneau de six mètres représentant un gigantesque cake aux fruits. Autour du gâteau, couronné de cerises d'un rouge éclatant, se tenaient les quatre membres d'une famille, tout sourires.

« Moi qui, après huit ans dans les services secrets de la police, pensais vraiment avoir tout vu », se dit Seth, les yeux rivés sur cette magistrale représentation. Comme quoi ! La vie pouvait encore lui réserver des surprises.

Il relança sa moto — mais à vitesse raisonnable : autant éviter les ennuis, pour peu que la capitale du cake soit aussi la capitale du P.V... Seth venait de passer six heures d'affilée à conduire sur l'autoroute du West Texas sous le soleil brûlant de cette fin d'été. Alors tout ce qu'il voulait, maintenant, c'était, d'abord faire le plein, puis avaler un énorme cheese-burger, bien juteux, accompagné d'un grand verre d'eau glacée. Et ce soir, il serait à Steerwater où, après avoir pris une chambre dans un motel, il s'empresserait de trouver le bar le plus proche : une grande chope de Corana glacée, voilà ce dont il mourait d'envie depuis ce matin ! Il pouvait déjà sentir l'âpre bière couleur d'ambre couler dans sa gorge toute desséchée par la poussière de la route.

Et si, par la même occasion, il trouvait une jolie serveuse pour lui apporter une pizza pepperoni, il serait un homme comblé.

Une femme d'une cinquantaine d'années, qui promenait un petit terrier noir sur le bas-côté, le regardait approcher. Le chien se mit à aboyer en tirant sur sa laisse, puis s'enroula autour des jambes de sa maîtresse, manquant la faire trébucher. En passant à côté d'elle, Seth lui lança un coup d'œil auquel la femme répondit par un regard noir.

Typique des petites villes ! pensa-t-il.

D'accord, il avait l'air un peu sale et débraillé. Même lui devait l'admettre. Cela faisait plus de deux jours qu'il ne s'était pas rasé, et ses épais cheveux noirs, qu'il avait dû laisser pousser pour sa dernière mission, lui arrivaient presque aux épaules. Et il n'était pas allé chez le coiffeur depuis… Avec une moto et une paire de lunettes d'aviateur pour compléter le tableau, il aurait pu se la jouer Hell's Angel.

Une brume de chaleur flottait sur le bitume lorsque, en cette fin d'après-midi, il tourna en direction de la station-service. Son arrivée ne passa pas inaperçue. Dans un grondement de moteur, il coupa le contact, enleva son casque et descendit de moto. Puis il attrapa le tuyau et, tout en balayant les lieux du regard, entreprit de remplir son réservoir. Et tous les curieux, occupés eux aussi à faire le plein, détournèrent promptement les yeux.

Et si, tout à coup, il criait « Bouh ! » et se mettait à agiter les bras en l'air ? Comment ces braves gens réagiraient-ils donc ? Il pouvait parier : d'un bond, ils sauteraient dans leurs voitures et fileraient aussi loin que possible de la station-service, comme si le diable en personne était à leurs trousses. Cette pensée le fit sourire malgré lui.

Allons ! Il allait résister à la tentation de passer à l'acte : ce qu'on pouvait penser de lui à Ridgewater n'était pas franchement sa priorité. N'avait-il pas des préoccupations bien plus importantes en ce moment ?

Comme, par exemple, cette lettre dans son sac à dos, portant le tampon du cabinet juridique Beddingham, Barnes et Stephen.

Seth, les yeux fixés sur les chiffres qui défilaient sur l'écran de la pompe à essence, récapitula alors mentalement toutes les étapes qui l'avaient conduit d'Albuquerque, New Mexico, à cette station-service de Ridgewater, Texas. Sa dernière mission l'avait amené à s'infiltrer au cœur d'une affaire de distillerie d'alcools clandestine, enquête qui s'était terminée en véritable fiasco. Et le soir où, quelques jours auparavant, il était enfin rentré chez lui, une pile de factures et de prospectus, accumulés en son absence, l'attendait. Il n'avait nullement eu l'intention de s'y attaquer : tout ce qu'il voulait, c'était un sac de glace pour sa main douloureuse et une bouteille de José Cuervo. Mais, au sommet de la pile, se trouvait une lettre sur laquelle s'étalaient plusieurs noms d'avocats qui lui avaient sauté aux yeux. Il l'avait donc ramassée. Quelqu'un qui avait l'intention de le traîner en justice, sans aucun doute… Peut-être un trafiquant de drogues mal luné qui n'avait pas trop apprécié qu'il le fasse arrêter ? Ou bien, cette ordure de l'appartement 12-C qui s'amusait à battre sa femme et auquel l'intervention de Seth quelques semaines auparavant n'avait pas plu du tout ? Bon sang, comme la liste était longue ! Réflexion faite, s'était-il dit, mieux valait laisser la lettre où elle était. Il aviserait plus tard.

Après avoir rempli un sac de glaçons, il s'était versé un fond de Tequila mais, malgré lui, il était revenu vers la mystérieuse missive. C'est alors qu'il avait remarqué l'adresse de réexpédition : Wolf River County, Texas.

Il était resté figé sur place.

Wolf River ?

Son verre toujours à la main, il avait saisi l'enveloppe et l'avait ouverte…

… et son contenu lui avait fait l'effet d'un coup de poing dans la poitrine.

Il se revit lisant ce courrier que, désormais, il connaissait par cœur. Mais ce qui lui revenait le plus distinctement, c'étaient les mots de la troisième ligne, second paragraphe…

« … Rand Zacharias Blackhawk et Elizabeth Marie Blackhawk, enfants de Jonathan et de Norah Blackhawk de Wolf River County, Texas, ne sont pas décédés dans l'accident qui a coûté la vie à leurs parents… »

Sur le moment, il en avait eu le souffle coupé : il n'avait que sept ans à l'époque de l'accident, son frère Rand en avait neuf et la petite Elizabeth, qu'ils appelaient Lizzie, avait à peine deux ans. Alors, apprendre, après vingt-trois ans, que le frère et la sœur qu'il croyait morts étaient en fait vivants, c'était complètement renversant.

Tout d'abord, il avait pensé que c'était une erreur. Une erreur monstrueuse. Ou pire, une très sale blague. Mais personne n'aurait pu lui faire cette blague, puisque personne ne savait que, pendant les sept premières années de sa vie, jusqu'à ce que qu'il soit adopté par Ben et Susan Granger, il avait répondu au nom de Seth Blackhawk. Lui-même s'en souvenait à peine.

La lettre donnait d'autres détails, bien sûr, notamment le nom et le numéro de téléphone de l'avocat à contacter. Plus loin, il était également question d'un héritage. Pourtant, d'après le peu de souvenirs que Seth conservait de son enfance, le petit ranch familial ne devait pas avoir grande valeur.

Enfin, de toute façon, héritage ou pas, c'était bien le cadet de ses soucis. Rand et Lizzie n'étaient pas morts dans l'accident, c'était tout ce qui importait.

Alors cette nuit-là, chez lui, combien de temps était-il resté assis sur le bord du sofa, dans le noir, les yeux fixés sur la lettre ? Sans doute jusqu'à l'aube, il ne savait plus exactement. Mais lorsque la lumière avait commencé à filtrer à travers les stores poussiéreux de sa salle de séjour, il avait fini par composer le numéro du cabinet juridique et avait laissé un message. Puis il s'était rassis, le téléphone sur les genoux, et il avait attendu.

Et lorsque l'avocat avait enfin rappelé, il avait eu confirmation que tout était exact : Rand et Lizzie n'étaient pas morts. On avait retrouvé Rand mais on cherchait toujours à localiser Lizzie quelque part sur la côte Est, ou peut-être dans un Etat du Sud.

Son interlocuteur lui avait alors demandé s'il pouvait venir à Wolf River.

Quelle question ! Et comment ! « J'arrive ! », s'était-il exclamé.

Quand Seth avait raccroché, son cœur battait la chamade, sa main tremblait. Il était resté assis à contempler le combiné pendant un bon quart d'heure encore avant de pouvoir bouger. Puis le sommeil avait eu raison de lui et il avait dormi seize heures d'affilée.

En se réveillant, il savait ce qui lui restait à faire... Il entassa quelques vêtements et affaires de toilette dans un sac, et se mit en route pour le Texas. Pour ce qui le retenait à Albuquerque... Sa dernière mission avait été un tel désastre qu'il était suspendu de ses fonctions pour six semaines. Il n'avait donc aucune obligation et, comme il n'avait pas non plus d'attaches…

Et c'était très bien comme ça. Seth avait bien essayé de s'installer avec Julie, sa dernière petite amie. Mais partager la vie d'un flic qui travaillait pour les services secrets n'était pas vraiment ce que l'on pouvait appeler offrir une relation stable à une femme. Il n'avait pas d'horaires, ne savait jamais quand il rentrait, ou même, s'il rentrait. Il avait bien essayé de faire comprendre à Julie qu'il vivait sans jamais rien prévoir… Elle avait juré que cela ne lui posait aucun problème, qu'elle pourrait parfaitement s'adapter à ses emplois du temps décousus. Et elle avait donc emménagé, pleine d'enthousiasme. Soudain, l'appartement s'était agrémenté de toutes ces petites touches si typiquement féminines : des dessous-de-verre en forme de tournesols, un jeté de lit tricoté main sur le canapé, des bougies odorantes dans la salle de bains. Et, partout, des photos encadrées

Mais après trois mois sur six passés seule, Julie semblait avoir épuisé toutes ses réserves de compréhension. Et lorsque, finalement, elle avait rompu, elle avait pris soin de donner à son départ une tournure carrément dramatique : elle avait placé une corbeille à papier en métal au milieu du salon, dans laquelle, comme dans un rituel, elle avait fait brûler toutes leurs photos de couple. Puis, pour renforcer encore l'aspect symbolique, elle y avait jeté le plaid qui, en se consumant, s'était mis à dégager une telle fumée que les pompiers avaient déboulé, suivis de près par une voiture de police.

Du coup, des semaines durant, au commissariat, il avait été la cible d'une série de blagues sans fin : un porte-clés extincteur, des détecteurs de fumée, un casque de pompier…

A la suite de cet épisode, il avait décidé, résolu, qu'il n'y aurait plus jamais de petite amie à demeure. Surtout pas de complications dans sa vie ! D'ailleurs, il n'était pas né de la dernière pluie : une fois qu'une femme a réussi à envahir l'espace vital d'un homme, ne se met-elle pas tout de suite à penser bague au doigt, mariage et bébés ? Alors tout ça, c'était parfait pour un type qui avait des horaires de bureau, mais lui, non merci, il ne correspondait pas du tout à ce profil.

Il est vrai qu'il aurait pu envisager une tout autre carrière. Al Matt et Bob Davis, les deux collègues et meilleurs amis de son père adoptif, mort en mission, n'avaient-ils pas tous deux tenté de le dissuader d'entrer dans la police ? Va à la fac, fais des études de comptable ou d'architecte, lui avaient-ils dit. Mais rien n'avait pu le décourager. Pourtant, il avait été témoin de la douleur de sa mère adoptive la nuit où l'oncle Al et l'oncle Bob, l'expression solennelle, la tête courbée, étaient venus frapper à la porte, porteurs de la fatale nouvelle. Et tout naturellement, elle avait pleuré le jour où il était entré dans les forces de police d'Albuquerque, mais elle l'avait serré très fort dans ses bras et lui avait donné sa bénédiction.

C'était il y a dix ans. Deux ans comme bleu avant de passer directement dans les services secrets. Et pour être tout à fait franc, il se demandait de plus en plus fréquemment si, en fin de compte, il n'aurait pas dû suivre le conseil d'Al et de Bob. L'idée de gratter du crayon, confortablement installé dans un fauteuil de bureau, lui paraissait chaque jour plus séduisante.

Et ce, tout particulièrement depuis cette dernière mission, se dit-il avec un soupir.

Le clic de la pompe à essence vint le tirer de ses réflexions. Seth laissa tomber la toute dernière goutte du bec verseur dans le réservoir de la Harley. Puis il remit son casque et remonta sur sa moto. En face de lui, une femme à cheveux gris, occupée à remplir le réservoir de sa Ford Taurus blanche, le regardait fixement. Il baissa ses lunettes de soleil sur son nez et lui fit un clin d'œil. La femme, horrifiée, se détourna vivement.

Souriant tout seul, Seth quitta la station-service dans un vrombissement de moteur. Dans moins d'une heure, plus vite même avec un peu de chance, il aurait quitté cette ville et serait de nouveau sur la route.

Tout le long de la rue principale de Ridgewater étaient alignés des ormes de haute taille. Sur presque toutes les maisons victoriennes qui la bordaient étaient apposées des plaques indiquant la profession de son habitant : antiquaire, avocat, médecin. Et bien sûr, que trouvait-on sur le coin gauche de la pancarte ? Une reproduction du fameux cake aux fruits. Seth hocha la tête, consterné devant une telle absurdité. Dieu merci, il n'habitait pas cette ville. Vous êtes d'où ? De la patrie des cakes géants. Il ne s'imaginait pas du tout, mais alors pas du tout, pouvoir donner ce genre de réponse sur ses origines.

D'ailleurs, attention, ce n'était pas *les* cakes, c'était LE cake géant.

Il avait presque atteint l'extrémité de la rue lorsque, derrière la barrière blanche qui entourait un grand jardin à l'avant de l'une des maisons, il aperçut une petite fille aux boucles d'un blond lumineux qui, debout sous l'un des ormes, agitait frénétiquement les bras. Seth ralentit et resta pétrifié à la vue d'une deuxième fillette qui, elle, était dans l'arbre, dangereusement suspendue à quatre mètres du sol, simplement retenue par son pantalon d'un bleu électrique

— lequel, visiblement, s'était accroché à une branche. L'enfant, qui gardait les yeux obstinément fermés, avait l'air absolument terrifiée.

Dans certains cas, il ne faut surtout pas réfléchir. Seth, suivant son impulsion, sauta le fossé à moto et enfonça la barrière de bois qu'il fracassa au passage. Il sauta à terre, laissant tomber son engin dans l'herbe mouillée. Il se rua alors vers l'arbre en arrachant son casque, grimpa le long du tronc et finit par atteindre la branche à laquelle la fillette était toujours accrochée.

— Ne bouge pas, petite.

Elle tourna la tête dans sa direction et, les yeux écarquillés, le regarda s'avancer sur la branche. Son pantalon craqua et elle descendit de quelques centimètres encore. Bon sang !

— Ne bouge pas, répéta Seth à l'enfant, ne respire même pas.

L'enfant obéit, tout en gardant les yeux rivés sur lui alors qu'il continuait sa lente progression.

— Maddie !

Seth ignora la voix féminine qui venait du sol. S'approchant de l'enfant, centimètre par centimètre, il plongea le bras et l'attrapa par la ceinture.

— Je te tiens, lui dit Seth, rassurant, la tirant vers lui.

La femme qui avait crié était à présent dans l'arbre et, debout à l'endroit d'où la branche s'élançait, les bras tendus, elle attendait de pouvoir attraper l'enfant. Il se rassit puis lui passa la fillette.

— Maman ! cria la petite en nouant les bras autour du cou de sa mère.

Seth qui, jusque-là, avait retenu sa respiration, poussa un soupir de soulagement : ils avaient eu chaud ! Très chaud. La petite fille aurait pu être sérieusement…

C'est alors que la branche, sur laquelle il était toujours assis, se mit à craquer bruyamment.

Oh, oh… Seth essaya à grand-peine de regagner le tronc, mais la branche émit un nouveau craquement, et tomba, l'emportant dans sa chute. Il vit la terre se précipiter vers lui, puis ce fut le trou noir.

Hannah Michaels le regarda avec horreur s'écraser au sol. Maddie toujours agrippée à son cou, elle se laissa glisser le long du tronc et se précipita vers l'homme inconscient, auprès duquel elle s'agenouilla. Il était allongé sur le dos, les bras en croix, ses longues jambes étendues, parfaitement immobile. Respirait-il encore ? Elle n'en était même pas sûre.

Oh, Seigneur ! se dit Hannah, dans tous ses états. Elles avaient tué un homme !

Posant sa main sur sa poitrine, elle perçut le battement sourd de son cœur et se sentit submergée par une vague de soulagement. Dieu merci, il était vivant, soupira-t-elle en fermant les yeux.

— Madeline Nicole, déclara alors sévèrement Hannah en dénouant les bras de sa fille d'autour de son cou. Tu vas aller te mettre à côté de ta sœur et ne plus bouger d'un centimètre. C'est bien compris ?

Les lèvres tremblotantes, Maddie alla rejoindre Missy qui se tenait à quelques mètres de là, les yeux remplis de frayeur. Les jumelles se prirent la main et s'appuyèrent l'une contre l'autre.

— Hannah Michaels, mais que diable se passe-t-il donc chez vous ? cria Mme Peterson, la voisine, depuis sa véranda. C'est une moto que je vois là, sur votre pelouse.

— Pouvez-vous appeler le Dr Lansky, s'il vous plaît, pour lui demander de venir immédiatement, répondit Hannah par-dessus son épaule. Dites-lui que c'est une urgence.

— Une urgence ? répéta Mme Peterson en tendant le cou. Quelle genre d'urgence ?

— Je vous en prie, madame Peterson, insista Hannah plus fermement. J'ai quelqu'un ici qui est blessé.

— Blessé ? Mon Dieu, je l'appelle tout de suite, dans ce cas. Bien qu'on soit mardi. Il se pourrait qu'il soit à la clinique, ou encore qu'il ait emmené son petit-fils pêcher à Brightmam Lake. C'est ce qu'il fait quelquefois et…

— Madame Peterson, s'il vous plaît…

— Oui, mon petit, bien sûr, je l'appelle tout de suite.

La vieille dame pivota sur ses talons et se précipita à l'intérieur.

Hannah toucha la joue de l'homme. Elle était chaude. Quel réconfort de ne pas la sentir froide et moite sous sa main. D'un geste, elle brossa délicatement ses cheveux bruns en arrière, dégageant son visage buriné, aux traits énergiques, qui présentait des contours anguleux, très masculins. Il avait certainement des origines indiennes. Le sang coulait d'une entaille qu'il s'était faite au-dessus de l'œil droit, et une bosse commençait à grossir sur son front. Il poussa un petit gémissement.

— Ne bougez pas, chuchota-t-elle. Le médecin sera là d'une minute à l'autre.

Pour toute réponse, il se contenta de gémir encore. Elle vit ses paupières alourdies battre faiblement, mais il n'ouvrit pas les yeux. Délicatement, Hannah laissa courir ses mains sur ses épaules et fut surprise de sentir ses muscles, durs comme du roc sous ses doigts. Son T-shirt noir était déchiré de l'encolure à la manche mais, outre une profonde égratignure, elle ne vit aucune blessure. Elle poursuivit son exploration le long de son bras, priant pour qu'il n'ait rien de cassé. Elle palpa son torse, ses cuisses, ses jambes, et partout où elle posait ses mains, elle sentit la même solidité. Enfin, même si cet homme semblait tout en muscles ; même si, apparemment, il était en pleine forme et en parfaite santé, cela ne voulait pas dire pour autant qu'il n'avait pas de blessure interne, d'os cassés, qu'il ne souffrait pas de contusions…

Revenant à son visage, Hannah fit une grimace de douleur à la vue de la méchante entaille qu'il avait au-dessus de l'œil. Il allait avoir un sacré mal de tête quand il se réveillerait !

Elle plongea la main dans sa poche de jean, cherchant son mouchoir. Zut ! Elle s'en était déjà servi pour essuyer le petit bec de Maddie. Elle jeta alors un coup d'œil au T-shirt rose qu'elle portait, l'attrapa par l'ourlet, et se pencha vers l'homme pour éponger le sang qui dégoulinait le long de son visage.

Qui pouvait bien être cet individu ? Depuis vingt-six ans qu'elle vivait dans cette ville où elle était née, ne connaissait-elle pas tout le monde, à Ridgewater comme dans les environs ? Mais lui, elle ne l'avait jamais vu. Elle jeta un coup d'œil à la moto qui gisait sur un côté, dans un coin du jardin. Tiens ! Elle était immatriculée dans le New Mexico. Sans doute encore l'un de ces motards de passage.

Mais, bon sang, comment en était-on arrivé là ? Elle n'était pas encore trop sûre de comprendre. Quelques minutes plus tôt, Missy et Maddie étaient en train de jouer à la poupée, par terre dans le salon, alors qu'elle-même était au téléphone, se disputant avec tante Martha, une polémique qui durait depuis deux ans.

— Ce n'est pas convenable, Hannah Louise, était en train de dire sa tante. Une femme seule qui élève deux petites filles dans une petite ville au fin fond du Texas ! Tes enfants ont besoin de culture, d'une famille, d'une éducation respectable.

Et, invariablement, sa tante concluait :

— Il faut absolument que tu renonces à cette idée ridicule de chambres d'hôtes. Nous allons vendre la maison, puis, toi et les filles, vous pourrez vivre avec moi à Boston.

Et s'il y avait bien une chose que Hannah détestait plus que tout, c'était d'entendre sa tante formuler cette exigence. Elle avait beau essayer de lui faire comprendre que, justement, elle et les filles étaient parfaitement heureuses à Ridgewater dans la maison qui avait d'abord appartenu à ses grands-parents, puis à ses parents, et dont tante Martha et elle étaient aujourd'hui copropriétaires, rien n'y faisait. Et aujourd'hui, pour tout arranger, lorsqu'elle avait entendu le cri de Missy et le bruit de la barrière qui se fracassait, elle lui avait carrément raccroché au nez.

Allons, ce n'était pas le moment de se faire du mouron au sujet de sa chère tante. Elle aviserait en temps voulu. Pour le moment, elle avait un problème bien plus grave à régler en la personne de cet immense motard qui pesait plus de quatre-vingt-dix kilos et qui était toujours évanoui.

L'homme bougea la tête d'un côté, puis de l'autre et grogna de nouveau. Hannah posa une main sur son bras et se pencha plus près.

— Essayez de ne pas bouger, dit-elle doucement.

Il ouvrit grand les yeux. Hannah s'apprêtait à parler, mais avant qu'elle ait eu le temps de dire quoi que ce soit, il s'assit et lui attrapa le bras. Il avait l'air fou de colère.

— Où est Vinnie ? demanda-t-il.

— Vinnie ?

— Il était derrière moi, bon sang ! Mais qu'est-ce qu'il fiche encore ?

— Je… je ne sais pas qui…

— On est en train de se faire cribler de balles, bon sang de bon sang, lui cria-t-il. Dis à Jarris de ne plus tirer.

Hannah posa les mains sur le torse de l'homme pour le forcer à se rallonger, mais en vain : elle avait l'impression de pousser sur un mur en briques. Aïe ! Il était en train d'enfoncer ses doigts dans son bras, maintenant, et ça faisait mal !

— C'est ça, je vais le dire à Jarris, allez, rallongez-vous maintenant, continua-t-elle plus doucement.

Il la fixait en plissant ses yeux noirs, mais Hannah savait qu'il ne la voyait pas vraiment. Où qu'il soit à cette minute précise, il était bien loin d'elle. Et ce ne devait pas être dans un endroit des plus agréables.

Il battit des paupières et Hanna vit son regard embrumé s'éclaircir.

— Mais qu'est-ce que… ?

Il baissa les yeux vers les mains de la jeune femme, toujours fermement posées sur son torse, et leva de nouveau la tête vers elle.

— Qui êtes-vous ?

— Hannah Michaels, répondit-elle, posément.

Pourtant, elle sentait son cœur battre à se rompre dans sa poitrine.

— Et maintenant, pourriez-vous me faire le plaisir de rester tranquille jusqu'à ce que le médecin arrive ?

Et elle le repoussa de nouveau doucement, mais il ne bougea pas d'un pouce.

L'homme hésita, puis elle sentit sa poigne sur son bras se relâcher et vit ses épaules se détendre. Il se recoucha sur l'herbe mais se releva tout aussi vite. Son effort le fit grimacer de douleur.

— La petite, dans l'arbre, est-elle… ?

— Elle va bien, répondit Hannah, tout en maintenant sa pression sur sa poitrine, jusqu'à ce qu'il soit de nouveau allongé. Grâce à vous, elle va bien.

On ne pouvait pas en dire autant de lui, hélas. Hannah remarqua la bosse qui grossissait à vue d'œil sur son front, le sang, les égratignures, et sentit comme un nœud à l'estomac.

— Ma moto ? dit-il en relevant la tête

C'est alors qu'il aperçut la Harley.

Seigneur ! Voilà que maintenant il se mettait à jurer.

Hannah jeta un coup d'œil à ses filles qui le regardaient, médusées : jamais les jumelles n'avaient entendu des expressions aussi imagées.

— Maddie, Missy, à la maison, sur le sofa. Et que ça saute !

Les deux enfants, toujours main dans la main, s'éloignèrent à reculons, puis pivotèrent sur leurs talons et se mirent à courir. Lorsque Hannah entendit la double porte grillagée claquer derrière elle, elle dut se faire violence pour ne pas se laisser envahir par la vague d'émotion qui soudain la submergea. Que se serait-il passé si cet inconnu n'était pas arrivé à pic ? Elle préférait ne pas y penser. Ce qu'il fallait, c'est qu'elle se concentre sur le fait que Maddie était tirée d'affaire et que l'homme qui l'avait sauvée avait besoin de soins.

— Je suis désolée pour votre moto, dit Hannah, je vous rembourserai toutes les réparations, les factures médicales et tous les autres frais occasionnés.

Et comment allait-elle donc se débrouiller pour tenir sa promesse ? Naturellement, elle n'en n'avait pas la moindre idée. Enfin, on verrait plus tard.

— Laissez tomber, répondit-il en se relevant, légèrement chancelant. Je vais très bien.

— Vous n'allez pas bien du tout, insista Hannah. Alors, rallongez-vous.

Seth ne voulait pas se rallonger. Ce qu'il voulait, c'était remonter sur sa moto et disparaître de cette fichue ville avant qu'un autre malheur ne lui tombe dessus. Mais il n'était pas idiot, il se rendait bien compte que ce n'était pas le sol sous lui qui tournait, c'était sa tête.

Mais quelle poisse ! Franchement !

Une minute, pas plus, c'était tout ce qu'il lui fallait, se dit-il. Peut-être deux ou trois minutes même, et il aurait récupéré son équilibre.

Il regarda la femme agenouillée à côté de lui. Elle était mince, et sa crinière blonde lui tombait en boucles autour d'un visage au teint de porcelaine. Ses grands yeux, qu'ombraient d'épais cils noirs, étaient aussi bleus que le ciel au-dessus de leurs têtes.

Son regard s'attarda sur sa bouche, une bouche généreuse, souriante. Comme c'était tentant…

Baissant le regard, il vit le T-shirt rose, taché de sang.

— C'est mon sang ? demanda-t-il en fronçant les sourcils.

Elle le regarda.

— Votre tête saigne. Il faut vraiment rester tranquille jusqu'à ce que le médecin arrive.

— Je n'ai pas besoin de médecin.

Il essaya de se lever, hésita en sentant le sol se dérober, puis se mit sur ses pieds… et sentit immédiatement ses jambes qui flageolaient.

La jeune femme l'entoura de ses bras et le stabilisa. Tout tournait autour de lui. Il fallait qu'il s'accroche sinon il allait les faire tomber tous les deux. Il l'enlaça, cligna des yeux, et retint sa respiration. Une douleur sourde le lançait dans la jambe gauche.

— Ça doit vous faire mal, dit Hannah, impatiemment. Vous vous allongez, maintenant, ou faut-il que je me fâche ?

Elle avait le sens de l'humour ! Et s'il n'avait pas eu si mal aux jambes, Seth aurait bien ri à cette menace. Etant donné que la jolie blonde faisait la moitié de son poids et que, à vue de nez, elle mesurait quinze à vingt centimètres de moins que lui, il avait bien du mal à l'imaginer se fâchant.

Elle continuait à le serrer contre lui et, malgré son esprit embrumé par la douleur, il sentit la douceur de ses seins contre son torse. C'est alors que l'imagination de Seth se mit à travailler. Son corps commença à réagir au contact de la jeune femme, à son léger parfum fleuri. Il était tout à fait sûr de ne pas avoir besoin de son aide mais il se laissa néanmoins enlacer pendant un moment, goûtant au plaisir de sentir ses bras autour de sa taille, ses formes sveltes tout contre lui. Il était peut-être blessé, mais de toute évidence, pas encore mort.

— Je crois vraiment que vous devriez vous allonger, maintenant, insistait-elle.

Si, dans un tout autre scénario, ils avaient été nus tous les deux, voilà des mots qu'il aurait adoré entendre de sa bouche. Et naturellement, il ne se le serait pas fait dire deux fois. Mais, à cette minute précise, tout de qu'il souhaitait, c'était récupérer son équilibre et lever le camp. Dommage !

Il s'éloigna de la jeune femme, chancelant un peu, puis examina sa moto. Allez ! Le pare-chocs avant était tordu. « Ce n'est vraiment pas mon jour ! » se dit-il, les sourcils froncés.

Soudain, il entendit un grognement sourd et tourna la tête… Un énorme berger allemand était en train de lui foncer dessus.

2.

— Beau ! Couché !

Le chien suivit l'ordre de la jeune femme et, docile, s'allongea immédiatement sur le sol. Seth, qui retenait son souffle, laissa échapper un profond soupir de soulagement.

Seigneur ! Quelle serait la prochaine épreuve ? Il allait être assailli par un essaim d'abeilles ? Ou une météorite allait tomber du ciel, droit sur lui ?

— Bon chien, était en train de dire Hannah de sa douce voix. Ne bouge plus.

Beau remua la queue et obéit. Mais ses yeux noirs retournèrent aussitôt se fixer sur l'étranger.

— C'est un gentil chien que vous avez là, commenta Seth sans quitter l'animal du regard.

— C'est le chien de Mme Peterson, il nous a en quelque sorte adoptées, les filles et moi. Mais ne vous inquiétez pas, il va être sage maintenant, continua Hannah en se retournant.

— Est-ce que j'ai l'air de m'inquiéter ? répondit Seth d'un ton irrité. C'est bien simple, je passe ma vie à défoncer des barrières à moto, à tomber des arbres, tête la première, et à affronter des chiens méchants. Alors, franchement, ce n'est jamais qu'une journée comme une autre.

Hannah leva un sourcil interrogateur.

— Vous devez avoir une vie passionnante, monsieur...
— Granger, Seth Granger.
— Bien, monsieur Granger, puisque vous avez l'air si déterminé à rester debout, pourquoi n'entrez-vous pas dans la maison ? Le médecin sera bientôt là, il pourra examiner votre tête.
— Ma tête va très bien.
La jeune femme sourit.
— Je veux dire, je me sens très bien, enchaîna-t-il en fronçant les sourcils.
— Je n'en doute pas, mais cela ne vous engage à rien de...
— Ecoutez, s'énerva Seth en brossant les brins d'herbe accrochés à sa chemise, c'est gentil de vous inquiéter pour moi, et je suis content que votre fille soit tirée d'affaire, mais je vais aller au garage faire réparer ma moto, puis je reprendrai la route.
Seth ne comprit pas trop ce qui se passa ensuite. Il fit un pas en direction de sa moto et sentit sa jambe se dérober. Hannah poussa un petit cri, fit un mouvement dans sa direction, et lorsqu'elle mit ses bras autour de lui pour l'empêcher de tomber, il l'entraîna avec lui dans sa chute.
Sans pouvoir se contrôler, il la serra très fort. Elle tomba de tout son long et se retrouva allongée sur lui. Mince ! C'était la deuxième fois aujourd'hui qu'il se retrouvait à tenir cette femme si près de lui. Et cette fois-ci, ce corps blotti contre le sien lui procurait une sensation encore plus agréable que la première fois. Il pouvait sentir la chaleur de sa peau à travers son T-shirt, et le contact de ses longues jambes réussissait presque à lui faire oublier sa cheville et son crâne douloureux.
C'est alors qu'il entendit un grognement sourd. Seth ferma les yeux. Résigné, il poussa un profond soupir.

— D'accord, dit-il, vous et votre tueur de chien avez gagné. Je vais attendre le toubib.

Quand le Dr Lansky arriva, en short de pêcheur beige et chemise écossaise bleue, il aida Hannah à porter Seth à l'intérieur et ils l'installèrent sur le sofa. Après lui avoir retiré son T-shirt déchiré, on découpa son jean pour pouvoir examiner sa cheville.

— Vous avez de la chance, dit le médecin en remontant ses lunettes sur son nez. Je crois que vous souffrez simplement d'une sale entorse, vous n'avez rien de cassé.

En attendant, c'était la panique la plus totale. Le téléphone n'arrêtait pas de sonner, les voisins frappaient tous à la porte, et une petite foule s'était rassemblée pour assister au départ de sa moto, tirée par le camion du garage.

Et Seth, au milieu de tout ce charivari, sentait sa tête prête à exploser. Quant à sa jambe, elle lui faisait un mal de chien.

Alors, s'il y avait vraiment une chose qu'il valait mieux éviter de lui dire, c'était qu'il avait de la chance.

Il grinça des dents, se faisant violence pour retenir les jurons qui lui brûlaient les lèvres. Au moins, il n'avait pas été nécessaire de lui faire des points de suture à la tête et l'égratignure qu'il avait à l'épaule n'était que superficielle. Il jeta un coup d'œil à Hannah qui se tenait debout à côté du canapé, sa jolie bouche pincée d'inquiétude. Seth aperçut, émergeant à côté de la jeune femme, deux petites têtes blondes et bouclées — des jumelles, de toute évidence — qui l'observaient de leurs grands yeux bleus.

Avec ces cheveux et ces yeux-là, on ne pouvait pas s'y tromper, elles étaient bien les filles de leur mère. Mais où donc était le père ? Vu le vacarme, il aurait dû être là. Seth jeta un coup d'œil à la main d'Hannah : elle ne portait pas d'alliance.

— Mais il va falloir faire une radio pour être sûr, continuait le médecin au crâne dégarni en regardant la cheville de Seth qui enflait, on n'est jamais trop prudent, vous savez.

— Je peux l'emmener à l'hôpital, proposa Hannah, je prends juste mon…

— Ce n'est pas la peine, dit Seth en secouant la tête, ce qu'il regretta instantanément — son crâne était en train d'éclater. Ce n'est pas cassé.

— Alors comme ça, monsieur Granger, répondit le médecin en enlevant ses lunettes et en les glissant dans sa poche, non seulement vous pouvez voler et, d'un bond, vous retrouver en haut d'un arbre, mais vous êtes également doté d'une vision laser ?

— Je me suis déjà cassé un os ou deux.

Quatre, pour être exact, pensa Seth. Sans compter la fois où il avait été blessé par balle et celle où il avait reçu un coup de couteau. Alors il n'allait certainement pas se laisser abattre par une cheville foulée.

— Demain matin, je serai en pleine forme, conclut-il.

— J'en suis convaincu. Mais en attendant vous aurez sans doute besoin d'un anti-inflammatoire, poursuivit le médecin, imperturbable, en sortant son bloc d'ordonnances de sa mallette noire. Et je vous recommande de ne pas poser ce pied à terre pendant plusieurs jours.

— C'est impossible. Je dois reprendre la route immédiatement.

Le Dr Lansky, ignorant sa réponse, arracha l'ordonnance du bloc et la tendit à Hannah en lui disant :

— Je ne vois aucun signe de commotion, mais ayez-le à l'œil. Il a la peau moite, la pupille dilatée. Et puis, il est évident qu'il n'a pas les idées trop claires.

— Faut-il que je change son pansement sur l'œil ? s'enquit-elle.

— Ça devrait pouvoir attendre jusqu'à demain matin.

— Hé ! les interrompit Seth. Première chose, je suis juste en face de vous, alors merci de m'inclure dans cette conversation. Deuxièmement, je peux changer mon pansement moi-même. Et troisièmement, demain matin je ne serai plus là.

— Comme vous voudrez, répondit le médecin en lançant un regard éloquent à Hannah.

Puis, souriant, il se tourna vers les jumelles.

— Mme Lansky est dehors en train de faire passer des biscuits. Vous en voulez un ?

Les fillettes levèrent un regard très sérieux sur leur mère. De toute évidence, elles se rendaient parfaitement compte qu'elles étaient responsables de tout ce chaos, mais, après tout, un biscuit restait un biscuit, elles ne perdaient rien à espérer.

Dans n'importe quelle autre circonstance, leur mère leur aurait dit non, catégoriquement. Dans n'importe quelle autre circonstance, elles se seraient retrouvées dans leur chambre, avec interdiction formelle d'en sortir, jusqu'à ce qu'elles aient l'âge de passer leur permis de conduire. Et encore ! Mais Hannah n'avait pas encore totalement recouvré ses esprits. Elle se sentait encore toute chamboulée par les événements de l'après-midi. Chaque fois qu'elle regardait Maddie, et qu'elle pensait à ce qui aurait pu arriver, ses mains se mettaient à trembler.

Elle croisa les bras, fit les gros yeux à ses filles et dit sévèrement :

— D'accord pour un biscuit, mais après vous filez dans votre chambre.

Les deux petites filles sortirent en sautillant, précédant le médecin qui, avant de passer la porte, lança à Seth un long regard désapprobateur.

— Dites-moi que je rêve : je plante ma moto et tous vos voisins se retrouvent à faire des mondanités dans votre jardin, en se passant des biscuits à la ronde ! Certainement des minicakes, d'ailleurs !

— Non, si c'est Mme Lansky qui les a faits, ce sont plutôt des biscuits aux pépites de chocolat, répondit Hannah en se rapprochant du canapé. Vous en voulez un ?

Il la regarda, plissant les yeux avec une expression menaçante. Il aurait presque réussi à lui faire peur, mais elle s'était déjà rendu compte que, malgré les apparences, il n'était pas si dangereux que ça. Enfin, c'était ce qu'elle croyait, du moins ! L'heure qui venait de s'écouler avait été tellement riche en événements qu'elle n'avait pas vraiment pris le temps de le regarder. Avec ses longues jambes et son torse athlétique, il envahissait presque tout l'espace de son petit canapé rose à fleurs. Le Dr Lansky avait posé la jambe gauche de son malade sur la table basse et elle-même avait glissé un coussin sous la cheville foulée. Pas une fois il ne s'était plaint, mais elle avait vu un muscle de sa mâchoire se contracter lorsque le médecin lui avait demandé de plier le pied.

Il avait des cheveux de jais, épais et brillants, qui lui tombaient presque aux épaules. Des sourcils presque aussi bruns que ses cheveux lui barraient le front. Sur sa mâchoire carrée et volontaire, une barbe de plusieurs jours ne faisait qu'accentuer son air patibulaire et, sous sa bouche ferme et sérieuse, se dessinait une petite cicatrice irrégulière.

Elle remarqua qu'il en avait une autre qui s'étalait sous le biceps droit, comme s'il avait été frappé par la foudre. Elle laissa alors son regard glisser le long de son torse, large et dénudé, recouvert d'une légère toison noire, qui allait s'amenuisant à mesure que l'on descendait vers son ventre plat et musclé pour, finalement, disparaître derrière le bouton de son jean.

Mon Dieu ! Hannah sentit sa gorge se serrer et releva vivement les yeux vers le visage de l'inconnu. Son cœur fit un bond quand elle croisa son regard. Son expression n'était plus aussi féroce que quelques minutes auparavant, mais restait néanmoins tout aussi intense. Et si elle-même n'avait pas été en train de le fixer avec une telle insistance, elle aurait presque pu prendre ombrage de l'intérêt manifeste qu'elle pouvait lire dans ses yeux.

— Monsieur Granger…

— Seth.

— Seth, reprit-elle, embarrassée. Je ne sais pas comment vous remercier d'avoir sauvé Maddie.

Il ne répondit rien, mais le regard qu'il lui lança en disait long sur le fait que, pour sa part, il aurait bien une ou deux suggestions à lui faire. Hannah enchaîna alors vivement :

— Je ne sais toujours pas très bien ce qui s'est passé mais, d'après ce que je crois comprendre, elle a malencontreusement envoyé Susie, sa poupée, dans l'arbre, et la poupée s'est coincée dans une branche. Mes deux filles n'ont alors rien trouvé de mieux que d'oublier qu'elles ne sont pas autorisées à grimper aux arbres sans être surveillées par des adultes. Si vous n'étiez pas arrivé à ce moment-là…

Seth l'interrompit d'un haussement d'épaules.

— Je suis arrivé, et elle va bien.

— Oui, répondit Hannah en entendant le rire de ses filles sous la véranda.

Elle remercia silencieusement le ciel.

— Mais, en l'occurrence, continua-t-elle, on ne peut pas en dire de même de vous et de votre moto. Je suis sincèrement désolée de tous les problèmes que nous vous avons causés.

— Ecoutez, rétorqua Seth, ce qui est fait, est fait. Je vais passer la nuit en ville. Demain matin, je récupère ma moto et je reprends la route.

Voyant que, levant le pied, il s'apprêtait à le poser par terre, Hannah fit un geste de la main pour l'en empêcher. Mais il ignora son avertissement. Elle vit son visage pâlir et sa mâchoire se contracter. Le lent soupir qu'il laissa échapper en disait long sur la suite des événements : il ne pourrait pas aller très loin avec une jambe dans un tel état. Et ce ne serait sans doute pas mieux demain matin.

Ah, les hommes ! Ce qu'ils pouvaient être bêtes, parfois.

— Seth, dit-elle en s'asseyant à côté de lui sur le canapé et en replaçant délicatement sa jambe sur le coussin. J'admire votre détermination, mais il serait peut-être temps que vous envisagiez un autre plan. J'ai une suggestion à vous faire.

— Je brûle de l'entendre, répondit Seth en fermant les yeux et en laissant aller sa tête sur le canapé.

Des gouttes de sueur perlaient à son front.

— Tant mieux, vous allez l'entendre tout de suite.

Il entrouvrit un œil. Hannah, ignorant son froncement de sourcils, attrapa la serviette humide qu'elle avait posée sur la table basse. Elle la lui appliqua sur le front.

Il leva une main et lui saisit l'avant-bras. Elle retint son souffle, attendant qu'il la relâche, mais il tenait bon. Il avait les yeux grands ouverts, maintenant, et la fixait de son regard sombre et intense. Lentement, sa main remonta le long de son bras et, au contact de sa paume calleuse sur sa peau, elle sentit tout son corps comme électrisé.

Elle aussi le regardait. Elle était trop choquée pour bouger, trop choquée même pour parler. Jamais elle n'avait connu une telle expérience. Jamais un homme ne lui avait fait un tel effet. Lorsque ses yeux s'attardèrent sur la bouche de l'étranger, elle tressaillit de tout son être et fut comme envahie par la chaleur, par l'odeur si masculines qu'il dégageait.

Le temps s'arrêta. D'ailleurs, tout s'arrêta : elle ne savait plus où elle était, qui elle était et ne savait plus du tout avec qui elle était. Plus rien n'existait en dehors de cet instant, son cœur s'était arrêté de battre : c'était hallucinant, c'était magique. Si elle avait encore eu un tant soit peu de présence d'esprit, elle se serait dégagée, elle aurait même été outrée par la caresse brûlante de cette main. Mais elle ne bougea pas. Elle n'était pas outrée.

Elle avait envie de lui.

Sa peau était moite, elle avait du mal à respirer. « Mais comment est-ce possible ? » se demanda Hannah, hébétée. Elle n'était certainement pas le genre de femme à se laisser séduire par un inconnu. Ni même par quelque homme connu, d'ailleurs. Et il y avait bien longtemps qu'elle avait accepté le fait qu'elle était différente des autres femmes, et renoncé à expérimenter le grand frisson...

— Alors, qu'est-ce que vous suggérez ?

— Quoi ? Suggérer ? Hannah battit des paupières, regarda Seth et cligna de nouveau des yeux. Ça, pour avoir des suggestions, elle en avait un paquet, mais jamais elle n'aurait le courage de les énoncer à voix haute.

— Vous venez de m'annoncer que vous aviez une proposition à me faire.

Ses doigts glissèrent le long de son poignet. Il lui arracha la serviette de la main et la jeta sur la table basse.

— Je vous écoute.

Une proposition ? Hannah dut prendre sur elle pour recouvrer ses esprits et pour se souvenir exactement de ce qu'elle avait dit, avant que, posant sa main sur elle, il fasse basculer son univers.

— Je... vous... Eh bien...

Elle sentit ses joues s'empourprer.

Seigneur, voilà qu'elle se mettait à bafouiller comme une idiote, pour tout arranger. C'est alors qu'elle se lança :

— Voilà, vous pouvez rester ici.

— Ici ? dit-il en inclinant la tête. Vous voulez dire : chez vous ?

— Oui.

Elle sentait toujours son pouls affolé, mais Dieu merci, elle avait presque retrouvé une respiration normale.

— Depuis six mois, j'aménage des chambres d'hôtes dans ma maison. J'ai encore deux chambres à finir, et je pourrai ouvrir. Vous pouvez vous installer dans l'une des chambres qui sont prêtes.

Il la regardait. Les quelques secondes qui suivirent lui firent l'effet de minutes interminables. Elle retint son souffle et attendit.

Il dit alors :

— Vous laisseriez quelqu'un qui vous est totalement inconnu habiter sous votre toit ?

— Je me rends bien compte que cela peut paraître extrêmement naïf, répondit Hannah posément, mais après ce que vous avez fait : la façon dont, pas une seconde, vous n'avez pensé à vous quand vous avez sauvé Maddie; la façon dont vous lui parliez en grimpant sur cette branche ; je suis sûre que je peux avoir confiance en vous. Je vais donc vous considérer comme le tout premier hôte des Eglantines.

— Les Eglantines ?

— Oui, c'est comme ça que je vais appeler la résidence des hôtes, répondit Hannah. Et vous n'aurez même pas besoin de monter l'escalier. Vous pouvez choisir l'une des deux chambres du rez-de-chaussée.

— Hannah, mais vous ne savez rien de moi, répondit Seth en hochant la tête.

— Eh bien, en fait, ce n'est pas complètement vrai, répliqua Hannah.

Gauchement, elle changea de position.

— Mme Peterson a trouvé votre portefeuille sur la pelouse du jardin. Elle m'a affirmé qu'il était ouvert, et que, par hasard, elle était tombée sur votre badge de la police d'Albuquerque.

— Par hasard, vraiment ? répondit-il en levant un sourcil.

— Elle a aussi pu voir que vous êtes célibataire, que vous avez trente ans, que vous mesurez un mètre quatre-vingt-dix...

— Je suis étonnée que, « par hasard », elle n'ait pas vu aussi mon poids et ma carte de donneur d'organes, constata-t-il, sarcastique.

— En fait, ça aussi elle l'a vu, je suis désolée, continua-t-elle, rougissante en lui tendant le portefeuille. D'ailleurs, vous commencez à être célèbre, ici. Billy Bishop, de la gazette de Ridgewater, veut faire la une sur vous.

Génial ! Seth retint de peu le grognement qui était en train de lui échapper. Jarris adorerait apprendre que l'un de ses détectives de la brigade des services secrets avait sa photo en première page du canard local de ce bled. Et pour peu que l'on pimente un peu l'article en racontant qu'il avait cassé la figure à son chef au cours d'une altercation, la semaine précédente, raison pour laquelle il était suspendu de ses fonctions pour six mois, Jarris serait aux anges ! Il allait probablement faire une attaque.

— Pas d'article. Vous direz à Billy Bob...

— Billy Bishop...

— C'est pareil... Vous lui direz qu'il est absolument hors de question qu'il écrive un article sur moi.

— Je vais essayer, répondit Hannah, hésitante, mais vous ne connaissez pas Billy Bishop,

— Et je ne tiens pas à le connaître.

Seth regarda fixement le sac de petits pois congelés qui lui recouvrait la cheville. Il ne voulait surtout pas l'admettre, mais son pied lui faisait un mal de chien. Que ça lui plaise ou non, il fallait bien qu'il se rende à l'évidence : il n'irait nulle part aujourd'hui, et nulle part demain non plus, vraisemblablement.

— Il faut que je parle au chauffeur du camion de dépannage avant qu'il ne parte. J'ai besoin d'avoir une idée du temps qu'il pense mettre pour la réparation.

— Je vais voir s'il est toujours là, répondit Hannah en se levant.

Et elle jeta un coup d'œil à la porte d'entrée, derrière laquelle on pouvait entendre le brouhaha des conversations venant de dehors.

— Je suis vraiment désolée pour tout ça. D'habitude mes filles se tiennent très bien mais, il leur arrive de se conduire mal...

Elle hésita puis poussa un lent soupir.

— ... quand il arrive trop de choses en même temps.

Seth devina que Hannah s'apprêtait à dire autre chose, et que, au dernier moment elle avait changé d'idée. Il était intrigué, il devait l'admettre. Mais il haussa les épaules. Quoiqu'elle ait voulu dire, cela ne le regardait en rien. Il avait une règle : il n'interférait jamais, et ne se mêlait pas de la vie des autres, à moins qu'il s'agisse d'un criminel ou d'un suspect sur lequel il devait enquêter. Il estimait que, s'il voulait éviter qu'on se mêle de ses affaires, il devait garder son nez en dehors de celles d'autrui.

Mais il y avait pourtant une chose qu'il devait savoir. Qu'il fallait qu'il sache. Il regarda de nouveau la main dépourvue d'alliance. On ne pouvait pas vraiment tirer de conclusions de ce genre d'indication. Il tenta sa chance…

— Cela ne posera pas de problème à votre mari, si je reste ici ?

Elle se figea en entendant sa question, puis, secouant doucement la tête :

— Je suis divorcée. Il n'y a que les filles et moi à la maison.

Vu qu'il n'était là que pour un jour ou deux, qu'elle soit mariée ou divorcée, cela ne faisait aucune différence. Pourtant, cette nouvelle lui fit, en quelque sorte, plaisir. Sans doute n'aimait-il pas l'idée d'éprouver du désir pour une femme mariée. Il ne s'imposait pas beaucoup de principes dans la vie, mais le peu de principes qu'il s'imposait, il n'en déviait jamais.

— Alors, comme ça, vous ouvrez des chambres d'hôtes, seule ?

— Pas exactement. Mon amie Lori va travailler avec moi deux ou trois jours par semaine. Et ma voisine, Mme Peterson, m'a déjà proposé son aide si j'en avais besoin. Je ne suis pas assez bête pour croire que je vais afficher complet dès l'ouverture, mais il n'y a qu'un motel en ville et nous avons pas mal de passage.

— Des gens qui viennent voir le plus gros cake du monde ?

Elle sourit sans paraître offensée par l'intonation légèrement moqueuse de sa voix.

— Cela peut vous paraître simpliste, mais le cake géant que fait la pâtisserie Wilhem une fois par an est ce qui fait la célébrité de la ville. Et la plupart des gens qui vivent ici prennent tout cela très au sérieux. Croyez-le ou non, nous avons notre lot de touristes. Puisque nous manquons d'hôtels à Ridgewater, je devrais pouvoir gagner ma vie ; tout au moins gagner suffisamment pour nous faire vivre, les filles et moi.

On frappait à la porte d'entrée. Elle se retourna. Lorsqu'elle regarda de nouveau dans sa direction, elle avait l'air de s'excuser.

— Mes voisins se sont tenus à distance respectable pendant que le médecin était en train de vous examiner, dit-elle en souriant, mais on ne peut pas les tenir à l'écart trop longtemps. Que vous le vouliez ou non, vous êtes un héros, monsieur Granger ! Alors la ville de Ridgewater, Texas, patrie du plus gros cake du monde, s'apprête à vous faire un accueil digne de ce nom.

3.

Le reste de la soirée, Hannah, prudente, se tint à bonne distance de Seth. De toute façon, il lui aurait été difficile de faire autrement. Depuis que le détective Granger avait défoncé sa barrière pour sauver Maddie, le réseau téléphonique de la ville était saturé et, en deux heures, un flot continu de gens avait défilé chez elle pour rencontrer l'homme mystère. Malgré la désapprobation d'Hannah, Maddie et Missy étaient les belles du bal : elles recevaient autant d'attentions que Seth. Et tous de leur tapoter la tête en leur répétant combien elles avaient été braves. Les jumelles buvaient du petit lait et, chaque fois qu'on leur demandait de raconter l'histoire, elles s'exécutaient avec enthousiasme, l'embellissant chaque fois un peu plus. Seth avait fini par devenir un surhomme. Il ne lui manquait plus que la cape rouge de Superman.

Alors que les fillettes, toutes deux assises sur une chaise du salon, venaient de trouver une nouvelle auditrice en la personne de Helen Myers, une serveuse du restaurant local, Hannah, debout dans l'embrasure de la porte de la cuisine, observait Billy Bishop qui essayait vainement d'arracher des informations à Seth. Ce dernier, malgré sa froideur, s'était montré poli envers les curieux qui, s'étant déplacés pour le rencontrer, étaient restés bouche bée devant le superhéros en chair et en os. Mais il refusait de répondre aux questions du journaliste local.

Il était toujours assis sur le sofa, sa jambe exposée comme un trophée de guerre. Son visage laissait deviner que, à tout moment, il pouvait craquer. Lorsque Billy lui demanda ce qui lui était passé par la tête au moment où il avait, sans penser une seule minute à lui, attrapé Maddie au vol, toute l'assistance poussa des oh ! et des ah ! en hochant la tête pour lui témoigner sa sympathie. Seth avait l'air mauvais en regardant le reporter de vingt-trois ans : Hannah était sûre qu'il valait bien mieux pour Billy qu'il ignore ce qui était en train de lui traverser l'esprit à cet instant précis.

Que cela lui plaise ou non et, visiblement, cela ne lui plaisait pas du tout, Seth Granger était maintenant l'attraction de Ridgewater. Et Hannah, à moins d'avoir eu recours à une clôture en fils de fer barbelés et à des gardes armés, ne voyait vraiment pas comment elle aurait pu tenir ses voisins et concitoyens à distance.

Au moins, ils avaient vu grand, songea-t-elle en regardant la table de la salle à manger : jusque-là, on lui avait apporté trois ragoûts, une salade brocolis-bacon, deux tartes aux pommes, un gâteau au café et une demi-douzaine de cakes. Et depuis qu'elle avait sorti les assiettes, l'argenterie et fait du café, le brouhaha avait singulièrement baissé dans la pièce : tous étaient occupés à manger.

— J'ai tout vu, était en train de dire Mme Peterson à George Fitzer qui arrivait juste et était en train de se remplir une assiette de macaronis au fromage, il a été étonnant, vraiment étonnant.

— On devrait lui remettre une récompense, enchaîna Mme Hinkle, la bibliothécaire.

— Pour l'amour du ciel, Mildred, répondit Mme Peterson en faisant les gros yeux, cet homme n'est pas le meilleur joueur d'un match, il a sauvé un enfant.

— Alors une médaille, peut-être, continua Mme Hinkle en attrapant le dernier morceau de gâteau au café.

— Moi, je sais bien comment j'aimerais le récompenser.

Saisie, Hannah se retourna au son de la voix familière derrière elle. Elle vit alors le regard approbateur dont sa meilleure amie était en train d'envelopper Seth.

— Lori Simpson, chuchota Hannah par-dessus son épaule, tu devrais avoir honte, tu es une femme mariée, mère de trois enfants.

— Quoi ? Mais je n'ai rien dit, moi, répondit la jolie rousse en regardant Hannah de ses grands yeux turquoise, pleins d'innocence.

Hannah leva un sourcil dubitatif. Lori, espiègle, jeta un coup d'œil à travers la pièce :

— Et après avoir recouvert son corps de crème fouettée, je le lécherais partout, délicatement et…

— Arrête ! Tu as un mari superbe qui t'adore, comment peux-tu parler ainsi ?

Hannah sentit ses joues devenir brûlantes. En fait, c'est tout son corps qu'elle sentait brûlant en imaginant ce que Lori venait de décrire.

— Mais Hannah, je plaisante, rétorqua Lori en regardant Seth. Enfin, en quelque sorte. Et pour l'amour du ciel, jamais je ne ferais une chose pareille. Sauf avec John, bien sûr ! Il est tellement incroyable au lit ; tiens, la semaine dernière…

— Arrête ! répéta Hannah en posant une main sur la bouche de Lori. La dernière chose qu'elle avait envie d'entendre à cette minute précise, c'était un compte rendu des galipettes amoureuses de sa meilleure amie. De sa meilleure amie, ou de quiconque, d'ailleurs. Il valait mieux ne pas aborder le sujet.

— Où est John ?

— A la maison, avec les enfants. Patrick nous fait ses molaires d'un an. Quant à Nikkie, c'est la reine du drame : le médecin lui a brûlé une petite verrue sur les fesses, aujourd'hui. Du coup, elle se déplace comme si on l'avait amputée d'un membre, répondit Lori en regardant Elma Trump arriver, une assiette pleine de brownies à la main. Elle en saisit un au passage.

— Il est tellement adorable... Il a proposé de les garder pour que je puisse venir chez toi rencontrer l'homme qui a sauvé la vie de ma filleule. Alors, donne-moi des détails, raconte à Tante Lori ce qui s'est passé exactement.

Stricto sensu, Lori n'était pas la tante de Maddie et Missy ; mais, pendant ces trois dernières années, depuis le divorce, Lori avait partagé le pire et le meilleur avec elle et, franchement, sans le soutien de son amie, elle ne voyait pas très bien comment elle aurait pu s'en sortir. Alors, il était à peine surprenant qu'elle considère Lori comme sa propre sœur.

— Peut-être plus tard, Lori, répondit Hannah en secouant la tête.

Elle sentit soudain ses yeux la piquer.

— Ça a été une rude et longue journée, tu peux me croire !

— Oh ! Ma bichette, répondit Lori, qui, fronçant les sourcils, glissa un bras sous celui de son amie. Quand j'ai vu que tu n'appelais pas, connaissant la ville, j'ai pensé un instant que cette histoire était complètement exagérée.

— J'étais... j'étais dans un tel état d'hébétude... J'ai eu tellement peur. Tout s'est passé très vite.

Zut ! D'où sortaient ces larmes maintenant ? Elle n'allait quand même pas se mettre à pleurer comme un veau devant tous ces gens. Il ne manquerait plus que ça !

— Ça ne fait rien, répondit Lori en la serrant dans ses bras. On en reparlera plus tard, devant une bonne bouteille de vin et avec une boîte de Kleenex.

Trois heures s'étaient écoulées, pendant lesquelles Hannah avait revu la scène en esprit une bonne douzaine de fois : Seth grimpant sur cette branche à laquelle Maddie était suspendue ; Seth tirant Maddie vers lui avant de la lui passer ; le craquement de la branche, Seth qui tombait... Chaque fois que ces images lui revenaient à la mémoire, Hannah avait le souffle coupé, son cœur s'arrêtait de battre.

Elle regarda alors Seth et, encore une fois, son cœur s'arrêta. Mais cette fois, c'était parce que lui aussi la regardait.

Et voilà que ça la reprenait.

Elle était complètement paralysée. Elle se consumait, elle était submergée par l'émotion. Incapable de ne rien faire d'autre que de soutenir ce regard.

Elle sentait le battement sourd de son cœur, entendait la rumeur étouffée des conversations autour d'elle, mais elle était comme scotchée sur place. Il ne lui était jamais rien arrivé de tel. Elle avait l'impression d'être complètement nue, sans que cela la gêne pour autant.

Elle se sentait bien vulnérable, depuis le début de l'après-midi. Alors bien sûr, après ce qui s'était passé, il était normal qu'un rien la mette en émoi.

Mais il s'agissait d'autre chose.

De quelque chose de beaucoup plus fort.

Cette pensée l'effrayait. Elle ne voulait pas se sentir attirée par cet homme. Par lui ou par un autre, d'ailleurs. Elle voulait la paix.

Il soutenait toujours son regard. Mais elle ne détourna pas les yeux. Il était beau, bien sûr, quoiqu'un peu sauvage, peut-être. Mais son aspect rude lui donnait encore plus de charme. La barbe naissante, cette mâchoire carrée et ce menton volontaire, cette épaisse tignasse noire, son jean délavé moulant ses longues jambes musclées... Tout en cet homme était dangereux. Il avait passé un T-shirt propre, et Hannah se rendit compte à quel point le noir lui allait bien.

Il respirait la sensualité, la virilité. Il lui faisait penser à des choses auxquelles elle ne voulait pas penser, auxquelles elle croyait n'attacher aucune importance : les mains d'un homme sur sa peau, des voix pressantes chuchotant dans le noir, des corps couverts de sueur sous des draps froissés.

Comme s'il lisait dans ses pensées, Seth plissa les yeux et son regard se fit plus intense.

Mon Dieu ! Et elle lui avait proposé d'habiter chez elle ! Dans cette maison où, dans la journée, pendant que les filles étaient à l'école, elle allait se retrouver en tête à tête avec lui...

Hannah ne buvait presque jamais d'alcool, mais elle eut une envie soudaine de ce verre de vin auquel Lori avait fait allusion quelques minutes auparavant.

— Hannah, ma chérie, lui dit Lori dans le creux de l'oreille, si tu continues à regarder monsieur Beau Mec comme ça, la pièce va finir par s'embraser.

— Je ne vois pas du tout ce que tu veux dire, répondit Hannah en détournant vivement les yeux.

— Bien sûr, sourit Lori. Je suppose que je n'ai fait qu'imaginer ce que j'ai vu dans ton regard.

— Lori Simpson, rétorqua Hannah, t'arrive-t-il de penser à autre chose qu'au sexe ?

Lori resta songeuse.

— Oh, je t'en prie, c'était une question idiote, laisse tomber.

C'est à cet instant que Maddie et Missy, ayant repéré Lori, se précipitèrent vers elle. Les filles ayant trouvé une nouvelle oreille attentive pour encore une fois narrer leur épouvantable aventure, Hannah en profita pour filer vers la cuisine.

Goûtant le calme des lieux, Hannah entreprit de faire du café frais. Elle avait simplement besoin de se retrouver un peu seule, loin de tout ce cirque.

Et loin de Seth...

Demain, pensa Hannah en comptant les mesures de café, demain matin tout serait redevenu normal. Elle préparerait sa commande de muffins, les déposerait au restaurant en accompagnant ses filles et les autres enfants à l'école, puis passerait prendre les livres de comptes de Tom Wheeler pour lequel, une fois par semaine, elle entrait les nouvelles données sur disque dur. Ensuite, elle réparerait la fissure dans la chambre du haut. Et quand Maddy et Missy rentreraient de l'école, ce serait l'heure des devoirs, du dîner, du bain. Puis elle leur lirait une histoire avant de se coucher. Elle pourrait ensuite passer le reste de la soirée sur le travail de point de croix que Lynn Gross lui avait confié pour ses catalogues.

Comme si elle avait du temps à perdre à penser à de beaux inconnus et à ses hormones en folie. Remplissant une carafe d'eau, Hannah se mit à rire de sa propre bêtise. En outre, sa maison était immense. Elle travaillerait au premier étage alors que Seth serait au rez-de-chaussée. Elle ne le verrait probablement même pas, sauf en passant. Ce n'était pas comme s'il avait pu se déplacer aisément.

Elle n'avait ni le temps ni l'envie de se laisser distraire par Seth Granger. Dans quelques jours il serait parti, et tout redeviendrait normal sous son toit. Non que normal soit le terme idéal pour qualifier sa vie, pensa-t-elle en secouant la tête avec un sourire.

Une fois qu'elle aurait ouvert ses chambres d'hôtes, Hannah aurait tout ce qu'elle souhaitait : sa propre affaire, la sécurité pour Maddie et Missy, et quand elle aurait racheté la part de la maison de Tante Martha, elle connaîtrait enfin cette sensation d'indépendance que jamais elle n'avait éprouvée.

A ce moment précis de sa vie, elle ne souhaitait rien de plus. Cela faisait trois ans qu'elle vivait sans homme, elle s'en sortait très bien. Peut-être, dans le futur, rencontrerait-elle quelqu'un. Un homme qui voudrait des racines, une famille, et qui voudrait rentrer à la maison le soir. Avant minuit. Avec une chemise qui ne serait pas imprégnée du parfum d'une autre femme.

Pour le moment, Hannah n'avait besoin que de Maddie et de Missy, cela lui suffisait amplement. Seth Granger pouvait être une façon intéressante de se distraire temporairement, mais c'était tout ce qu'il était : intéressant et temporaire. En insistant sur temporaire !

Pendant que le café coulait, Hannah ouvrit le réfrigérateur pour remplir le pot de lait vide qu'elle avait mis sur la table. A côté de la brique de lait se trouvait une boîte de crème fouettée que quelqu'un avait apportée avec un saladier de fraises.

... J'aimerais le tartiner de crème fouettée et le lécher partout...

Hannah ferma la porte en la claquant et se força à chasser l'image que Lori lui avait mise en tête. Son cœur battait à se rompre. Finalement, sa maison ne lui paraissait pas si grande que ça. Et les quelques jours à venir risquaient de lui sembler une éternité.

Pendant la nuit, Seth fut réveillé par une odeur de cannelle. Il faisait sombre, il ne savait plus trop où il se trouvait mais cela n'avait rien d'inhabituel. Plus d'une fois, il s'était réveillé dans le noir, dans un lit et dans une chambre inconnus. Dans sa profession, on n'était jamais trop sûr de l'endroit où on allait dormir : une voiture, un banc dans un parc, même une contre-allée au cœur d'une communauté de S.D.F. qui vivaient dans des cabanes en carton et sous des couvertures montées en tentes… Il allait où les exigences de son travail le portaient, et il avait souvent l'impression de passer plus de temps dans la rue que dans son propre appartement.

Mais cette odeur de cannelle et… de quoi d'autre ? De pommes, voilà ce que c'était. Jamais auparavant il n'avait été réveillé par une odeur de pommes et de cannelle mélangées. Pendant plusieurs minutes, il se demanda s'il ne rêvait pas, s'il n'était pas en train de revivre une scène de son enfance. Avant l'accident. Avant les événements qui avaient changé sa vie de façon si dramatique.

Mais non, il ne rêvait pas. Et cette odeur était tout à fait réelle, aussi réelle que le lit dans lequel il était allongé. Un matelas ferme et confortable, couvert de draps doux et soyeux, d'oreillers de plume et d'un édredon épais. Il cligna des yeux, leva la tête et jeta un coup d'œil au réveil. 5 heures du matin. Ce n'était pas exactement le milieu de la nuit, mais ce n'était pas non plus ce qu'il appelait le matin.

Seth cligna de nouveau des yeux, se remit sur le dos. La douleur dans sa cheville se réveilla subitement. Il poussa un vilain juron et, tout à coup, se rappela où il était.

A Ridgewater, Texas.

La patrie du plus gros cake du monde.

Serrant les dents, Seth glissa sa jambe hors des couvertures et s'assit sur le bord du lit. Voyant que la douleur persistait, il alluma la lampe de chevet et examina la belle chambre spacieuse aux murs tapissés d'un papier pimpant. Seth se passa une main dans les cheveux, s'étira, puis il roula les épaules. Son cou était un peu raide, il sentait comme une douleur sourde à la tête, mais l'un dans l'autre , à part sa cheville enflée qui était maintenant toute mauve, il se sentait plutôt bien.

Enfin, aussi bien que possible, étant donné les circonstances : ne se retrouvait-il pas coincé au bout du monde, et ce, Dieu sait pour combien de temps ?

Après la petite réunion de la veille au soir, Seth comptait les minutes qui le séparaient de son départ de Ridgewater. Il savait bien qu'il aurait dû apprécier que tous ces gens se soient déplacés pour lui, mais en fait, cela ne lui faisait ni chaud ni froid. Il n'avait vraiment rien fait d'exceptionnel. N'importe qui en aurait fait autant. Il ne méritait certainement pas toute cette attention.

Particulièrement celle de Billy Bishop, grand reporter à Ridgewater Gazette...

Billy s'était comporté comme le roi des casse-pieds. Il avait voulu connaître tous les détails de la vie de Seth. Son travail, son passé, et même ses hobbies, bon sang ! Délibérément, il n'avait donné que des réponses courtes et vagues. Moins il en dirait à Billy Bishop, plus l'article serait court et plus vite l'incident serait oublié.

Faisant bien attention à ne pas fatiguer sa cheville, il enfila un pantalon de jogging gris, le T-shirt qu'il portait la veille au soir, puis, guidé par l'odeur alléchante qui venait de la cuisine, se dirigea vers la porte en clopinant. Il s'arrêta sur le seuil, surpris. Hannah, debout devant la planche de travail, était en train de remplir des moules à muffin avec une pâte provenant d'un grand saladier en inox. Ses longs cheveux blonds ondulés, retenus par une barrette bleue, lui tombaient en cascade dans le dos. Elle était vêtue d'un peignoir bleu pâle et chaussée de pantoufles roses. Il aurait juré qu'elle était en train de fredonner… *Born to be Wild ?*

S'adossant à la porte, il la regarda faire en souriant. Après lui avoir montré sa chambre la veille au soir, elle lui avait donné des serviettes propres et du savon, s'était excusée pour toute cette panique, puis s'était empressée de prendre congé. Et même lorsque, encore une fois, elle l'avait remercié d'avoir sauvé Maddie, c'était toujours en le fuyant du regard.

Sans doute ressentait-elle un peu d'appréhension à l'idée qu'il soit dans la maison. Après tout, ne lui était-il pas parfaitement inconnu ? La seule chose qu'elle savait de lui, outre les renseignements que donnait son permis de conduire, c'était qu'il travaillait pour le département de la police d'Albuquerque.

Mais un peu plus tôt dans la soirée, alors qu'elle était en train de parler avec son amie, elle l'avait regardé. Et lui aussi l'avait regardée.

Il s'était alors passé quelque chose de très fort entre eux. Mais il n'avait pas bien compris. Ce n'est pas qu'il n'avait jamais eu envie d'une femme. Au contraire, sur ce terrain là, il était plutôt expert. Mais ce qui était nouveau pour lui, c'était cette intensité dans ce qui n'aurait dû être qu'un simple regard. Or, c'était tout, sauf un simple regard. Et s'il se sentait troublé, il se sentait tout aussi intrigué.

Hannah l'intriguait. Une si belle femme, élevant seule deux petites filles espiègles, qui s'apprêtait à ouvrir des chambres d'hôtes… Il avait pu lire l'effroi dans ses yeux myosotis quand, hier, il lui avait passé Maddie, mais elle était restée calme. Bien des femmes, à sa place, se seraient montrées complètement hystériques. Puis, elle avait tout d'abord pris soin de lui, avant de, gracieusement, ouvrir sa porte à ses voisins. Ensuite, discrètement, elle avait préparé des en-cas, fait du café, puis s'était mise en retrait pour observer.

Après Steppenwolf, elle entonna la chanson de Ricky Martin, *Shake your bon-bon*. Seth baissa les yeux sur sa jolie chute de reins qui suivait le rythme latino. Bon sang ! On ne pouvait pourtant pas dire que, jusqu'à ce jour, il ait été particulièrement fan de Ricky.

Il avala sa salive, conscient du fait qu'il devrait annoncer sa présence au lieu de rester debout à l'épier. Mais il ne pouvait pas s'en empêcher : il trouvait Hannah sexy en diable. Et lorsqu'elle se déhancha encore un peu, il en oublia de respirer.

Il avait envie de cette femme.

Tomber de l'arbre lui avait certainement brouillé les idées. En tout cas, ses hormones en folie étaient en train de tirer la sonnette d'alarme. Son pouls s'accéléra et il eut l'impression que tout le sang affluait de sa tête à la partie inférieure de son ventre…

Il se remémora ce corps exquis contre le sien, sa peau soyeuse sous sa main lorsqu'il lui avait pris le bras sur le sofa, la façon dont, hier soir, à travers la pièce pleine de monde, elle l'avait regardé. Pas de doute, le courant passait entre eux.

Maintenant, fallait-il passer à l'acte ?

C'était curieux, Seth ne s'était jamais posé ce genre de question auparavant. Lorsqu'il désirait une femme qui le désirait, c'était toujours simple. Et si ça avait l'air de coller, Seth ne s'était jamais retenu. Il fonçait et ce qui devait arriver arrivait.

Mais Hannah n'était pas simple, justement. Quelque chose lui disait qu'elle était tout sauf simple, en fait. Seth savait qu'il ne faisait que passer dans cette ville et dans la vie de cette femme. Et la dernière chose qu'il aurait dû avoir en tête, c'était de coucher avec elle.

Elle continuait de se balancer au rythme de la musique, et Seth eut l'impression d'avoir reçu un coup de poing dans l'estomac. S'il ne l'arrêtait pas immédiatement, il allait commettre une folie.

— Bonjour.

Elle se retourna, l'air stupéfait. Elle resta debout à le regarder quelques minutes, les yeux écarquillés. Son visage s'empourpra.

Son peignoir était ouvert sur une courte chemise de nuit de coton rose qui ne dissimulait pas grand-chose et Seth chercha son souffle. Il laissa glisser son regard sur ses longues jambes galbées et sentit son corps s'embraser.

Même les pantoufles qu'elle portait lui paraissaient sexy. Cela prouvait bien qu'il n'avait pas toute sa tête à lui. Il pouvait s'imaginer les lui retirant, puis laissant courir sa main le long des courbes de la jeune femme, remonter jusqu'aux hanches, continuer toujours plus haut, sous la chemise de nuit, jusqu'à ce que ses paumes se referment sur la chair tendre et féminine de ses deux seins fermes.

Il lui fallut quelques secondes et une volonté de fer pour la regarder de nouveau dans les yeux. Elle ne bougeait toujours pas. Sa bouche formait un O.

Enfin, soudain, elle recouvra la parole. Elle marmonna « Bonjour » en se retournant vivement vers son saladier, dans lequel elle versa une mesure pleine de pâte, avant de serrer la ceinture de son peignoir autour de sa taille.

— Je ne vous attendais pas si tôt, lança-t-elle par-dessus son épaule. J'espère que je ne vous ai pas réveillé.

Sa voix était crispée, aiguë. Oh que si, elle l'avait réveillé ! Il sentait son corps tout entier vivant, alerte et prêt à l'action.

— En fait, ce sont les muffins…

Clopinant, il s'avança vers la grande table de chêne qui se dressait au milieu de la spacieuse cuisine. Hannah s'empressa d'attraper un torchon pour s'essuyer les mains.

— Vous ne devriez pas vous tenir debout sur cette jambe, dit-elle d'un ton ferme en se précipitant pour lui passer un bras autour de la taille.

— Ça ira, Hannah.

Il la laissa néanmoins l'installer dans le fauteuil, non pas parce qu'il avait besoin d'aide mais parce qu'il ne voulait pas se priver de ce plaisir, même si cela ne devait durer que l'espace d'un instant. Il sentit la douceur de sa poitrine contre lui et eut du mal à retenir un soupir en sentant son corps réagir. Il respira l'odeur de cannelle et de pommes sur sa peau, se retint à elle plus longtemps que la sagesse ou la nécessité le demandaient. Lorsqu'elle s'éloigna, il dut se faire violence pour s'empêcher de la rattraper et de goûter sa peau.

Elle avança une seconde chaise à côté de lui et lui souleva délicatement la jambe pour la poser sur le rembourrage à carreaux. Elle s'agenouilla devant lui et tapota le coussin, sans s'apercevoir que le haut de son peignoir entrouvert laissait deviner la pointe de ses seins, à travers le fin coton de sa chemise de nuit.

— Quel effet ça vous fait ? s'enquit-elle.

Elle en avait de bonnes ! Il ne rêvait que d'une chose : sentir l'effet que lui feraient ces seins sous ses mains, dans sa bouche. La gorge serrée, il détourna les yeux.

— C'est parfait, siffla-t-il entre ses dents, je me sens très bien. Vous pouvez reprendre ce que vous étiez en train de faire.

Et vite, pensa-t-il intérieurement. Parce que sinon je vais être obligé de vous prouver à quel point je me sens bien.

Une minuterie retentit et, au grand soulagement de Seth, Hannah se précipita vers le four pour retirer un moule de muffins cuits. Jetant un coup d'œil à la ronde, il se rendit compte qu'il y avait déjà bien huit douzaines de muffins sur la planche de travail.

Seigneur, mais à quelle heure s'était-elle donc levée ce matin ?

— Vous attendez encore une invasion aujourd'hui ? demanda-t-il, incrédule.

Elle posa le moule sur la planche de travail et répondit en souriant :

— Je prépare ces muffins tous les mercredis matins pour le restaurant en ville. Je les livre quand j'emmène les filles à l'école. Vous en voulez un à la myrtille, à la banane ou vous préférez pomme-épices ?

— Pomme-épices, répondit Seth.

Le muffin qu'elle posa devant lui était encore tout chaud. Lorsqu'il l'ouvrit en deux, un filet de vapeur odorante s'en échappa. Il huma les épices puis mordit dans le gâteau.

Il poussa un soupir de satisfaction et ferma les yeux. Lorsqu'il les rouvrit, elle le regardait, un sourire sur ses jolies lèvres.

— C'est bon ? demanda-t-elle.

— C'est bon, répondit-il en prenant une autre bouchée. Bon sang, ça doit être le meilleur muffin que j'ai mangé de ma vie.

— Merci, dit-elle.

Et son sourire s'agrandit. Seth se sentit encore plus affamé. Mais cela n'avait rien à voir avec les muffins, avec la nourriture en général. Il était affamé de désir. Alors, pour éviter de la faire encore rougir, il masqua du mieux qu'il put son émotion.

— Je vais mettre le café en route, dit-elle après plusieurs minutes qui lui semblèrent interminables.

Mais il avait eu le temps de remarquer que, dans ses yeux aussi, se reflétait quelque chose qui ressemblait étrangement à du désir. Un désir aussi fort que le sien. Il ne s'était pas fait de films. Ce qu'il ressentait n'était donc pas à sens unique. Elle le désirait autant qu'il la désirait.

Il fixa son dos et nota une légère tension dans ses épaules. Sa main, qui comptait les mesures de café, tremblait légèrement.

Qu'allait-il bien pouvoir faire ?

Tous deux étaient des adultes, allaient chacun leur chemin. Alors s'ils finissaient ensemble dans un lit, même si ce n'était que pour très peu de temps, où donc était le mal ?

Sans doute nulle part, pensa-t-il, mais il se sentait nerveux, hésitant : une lourde et sombre tension planait entre eux. Dans certains cas, Seth détestait se sentir vulnérable et hésitant : comme lors d'un rendez-vous avec un indic dans une ruelle sombre, ou lorsqu'il entrait dans une pièce sans renfort quand il était en mission, ou qu'il était assis dos à une fenêtre. Il n'aimait pas les endroits pleins d'ombres, dans lesquels on pouvait se fondre ou disparaître.

Or, Hannah lui faisait cet effet. Elle était comme une ombre. Une ombre sexy, tentante, mais une ombre, malgré tout. Elle l'intimidait, le déstabilisait. Il avait besoin de sentir qu'il avait toujours la situation en main, dans son travail, dans sa vie privée et, surtout, dans ses relations amoureuses.

Il poussa un soupir et reporta son attention sur le muffin. Il fallait qu'il aille à Wolf River, il avait une famille qui l'y attendait. C'était la seule chose sur laquelle il fallait qu'il se concentre pour le moment. Sur laquelle il voulait se concentrer.

Peut-être allait-il être coincé dans cette maison pendant quelques jours, mais dès qu'il aurait récupéré sa moto, il reprendrait la route, et la jolie petite Hannah Michaels ne serait plus qu'un souvenir, agréable certes, mais un souvenir.

4.

— Trois douzaines à la myrtille, trois douzaines à la banane, quatre douzaines à la pomme.

Phoebe Harmon signa le chèque qu'elle venait de remplir et le fit glisser sur son bureau en direction d'Hannah.

— Penses-tu pouvoir assurer une commande exceptionnelle de six douzaines de plus pour demain ? La Chambre de Commerce organise une journée professionnelle au lycée.

— Pas de problème. Un assortiment, ça ira ?

— Ce sera parfait.

Ce qui signifiait qu'il fallait qu'elle se lève une heure plus tôt. Mais cela n'avait pas d'importance pour Hannah : tout ce qu'elle voyait, c'était les quelques dollars en plus qui allaient rentrer.

Phoebe, une blonde platine d'une cinquantaine d'années, aux formes avantageuses, était mariée à Duke Harmon depuis dix ans environ. Ensemble, ils avaient ouvert Duke Dinner. Phoebe était une cuisinière hors pair, mais elle ne faisait pas de pâtisseries. Tous les desserts que l'on servait au restaurant Duke étaient l'œuvre des habitants de la ville. Shirley Gordon était chargée des tartes et des cookies, Hannah, des muffins et des commandes de gâteaux pour les occasions spéciales.

— J'ai entendu dire que tu avais eu bien des émotions, hier, lança Phoebe, ses grands yeux bruns remplis d'inquiétude. Comment vont les filles aujourd'hui ?

— Elles vont bien, répondit Hannah en mettant le chèque dans son sac et en jetant un coup d'œil à sa montre. D'ailleurs, si je ne file pas tout de suite, elles vont être en retard à l'école.

— Oh, Hannah, allez ! dit Phoebe en faisant la moue. Tu as bien une petite minute pour me donner quelques détails croustillants. C'est vrai qu'il habite chez toi ?

Hannah poussa un soupir. Elle savait bien, naturellement, que tôt au tard tout le monde saurait que Seth était chez elle, mais, bêtement, elle avait espéré qu'il se passerait plus de douze heures avant que la nouvelle fasse le tour de la ville

— C'est juste pour quelques jours, répondit-elle, poliment. Jusqu'à ce que sa cheville aille mieux et que sa moto soit réparée.

— Dis-moi, chérie, continua Phoebe en se penchant à travers le bureau et en levant un sourcil, il est marié ?

— Non,

— Il est fiancé ?

— Pas que je sache.

Le visage de Phoebe s'éclaira.

— Il a moins de cinquante ans ?

— Oui, répondit Hannah en se penchant vers elle et en chuchotant : Et tu sais quoi ?

Phoebe retint sa respiration et tendit le cou.

— Quoi ?

— Je crois même qu'il ne porte pas de dentier.

Phoebe se rassit, pinçant les lèvres.

— Ne sois pas insolente, Hannah Michaels. Tu es une femme d'affaires. En bonne femme d'affaires, tu dois saisir absolument toutes les chances qui se présentent. Ne veux-tu pas d'un homme pour réchauffer ton lit et d'un père pour tes filles ?

— J'ai une couverture électrique, Phoebe, et les filles sont très heureuses comme ça.

— Pfff... Tu es une femme jeune. Il est temps que tu te cases. Ou tout au moins que tu fasses un peu vibrer ton corps, continua-t-elle en fronçant les sourcils.

Deux rides profondes se creusèrent au milieu de son front. Hannah sentit ses joues s'empourprer. Sans doute n'était-ce pas suffisant que sa meilleure amie la tanne ? Il fallait maintenant que Phoebe s'y mette aussi ! Au train où ça allait, elles n'allaient pas tarder à former un comité se réunissant une fois par semaine pour discuter de la vie sexuelle de cette pauvre Hannah Michaels. Ou, plus exactement, de son absence de vie sexuelle.

— Allez, fais plaisir à la vieille femme que je suis et raconte-moi comment il est, continuait Phoebe avec un clin d'œil. D'après ce que j'ai entendu dire, il est sexy en diable ?

Sexe et diable, pensa Hannah. Deux mots qui décrivaient Seth Granger à merveille. Elle le revoyait, ce matin, debout dans l'embrasure de la porte de sa cuisine, vêtu d'un pantalon de jogging et d'un T-shirt, son beau visage ombré de barbe, et ses longs cheveux décoiffés. Rien qu'à cette image, son pouls s'accéléra. Elle respira un bon coup.

L'observait-il depuis longtemps ? Cela l'intriguait. Elle écoutait tout le temps de la musique : quand elle faisait la cuisine, quand elle travaillait dans la maison. Bien sûr, il lui arrivait de s'emballer un peu, parfois. A la pensée que, peut-être, il l'avait vue se comporter de façon aussi idiote, ses joues, déjà rouges, s'empourprèrent encore.

Comment aurait-elle pu deviner qu'il serait debout si tôt ? Et combien elle avait dû lui paraître ridicule, dansant dans sa cuisine en robe de chambre et en pantoufles : Hannah Michaels, la femme fatale… !

De toute façon, elle se fichait complètement de ce qu'il pouvait penser d'elle. Qu'est-ce que cela aurait bien pu lui faire ? Ce n'est pas comme s'ils allaient avoir une aventure. Et même si elle avait apprécié sa carrure, hier soir, en allant se coucher ; si elle s'était un peu laissée aller à fantasmer à son sujet, juste un petit peu, cela ne voulait pas dire qu'elle allait coucher avec lui, bon sang !

Le loger, elle lui devait bien ça. Bon, d'accord, le courant semblait passer un peu entre eux, beaucoup même, mais elle avait bien d'autres préoccupations : Maddie et Missy, et un tas d'autres choses, comme faire des muffins, travailler à la chambre du premier, finir les comptes qui l'attendaient sur son bureau. Il ne fallait pas qu'elle se déconcentre, qu'elle perde son sang-froid. Le trouble qui l'envahissait quand elle pensait à Seth Granger, lui faisait un peu perdre les pédales. C'était la dernière chose dont elle avait besoin en ce moment.

— Allô ? J'attends une réponse, s'exclama Phoebe, interrompant le fil de ses pensées. Allons, Hannah, une belle fille comme toi et un beau garçon comme ça qui dorment sous le même toit, ça doit faire des étincelles, au moins.

— Je suis encore capable de contrôler mes appétits charnels, répondit Hannah.

— Tu n'es pas drôle, répondit Phoebe les sourcils toujours froncés. Allez Hannah, raconte-moi quelque chose. Au moins qu'il t'a fait des avances.

— Non, il ne m'a pas fait d'avances.

Hannah eut presque envie de rire en voyant l'immense déception qu'affichait le visage de Phoebe. Allons, elle pouvait peut-être lui donner quelques détails.

Elle jeta un coup d'œil par-dessus son épaule, baissa la voix et se pencha vers Phoebe.

— Mais je vais te confier quelque chose, si tu promets de ne le répéter à personne.

Le visage de Phoebe s'éclaira et elle mima le geste « motus et bouche cousue ».

Hannah se pencha encore et lui murmura, au creux de l'oreille :

— Il aime mes muffins pomme-épices.

Phoebe se redressa en croisant les bras.

— Hannah Michaels, tu sais que je peux encore te coller une fessée. J'étais au lycée avec ta mère, après tout !

Hannah, hilare, sortit en lui faisant un petit au revoir de la main. Phoebe était sans doute déçue, néanmoins Hannah était convaincue qu'elle allait tirer le maximum des informations qu'elle avait réussi à obtenir.

Et dès demain, cela ne faisait aucun doute, les commandes de muffins pomme-épices auraient doublé.

A 8 heures tapantes, Hannah quitta la maison pour accompagner ses filles à l'école. Seth, resté seul dans sa chambre, essaya de regarder la télévision. Mais il n'en avait jamais été très amateur. A moins de tomber sur un match ou sur un film rempli d'explosions et de collisions de voitures. De toute façon, étant donné ses horaires de travail, il était rare qu'il passât assez de temps chez lui pour faire autre chose que dormir et manger.

Peu après 9 heures, il entendit Hannah rentrer. Il valait sans doute mieux ne pas la déranger. Il décida de rester dans sa chambre. Au bout de trois heures, il était complètement saturé de télévision. Il appella le garage où l'on avait transporté sa moto la veille. Un message enregistré lui annonça qu'il n'ouvrait pas avant midi et que tous les appels seraient traités dès l'ouverture.

Midi ? Seth jeta un regard mauvais à son portable. Mais qu'est-ce que c'était que ce garage qui n'ouvrait pas avant midi, bon sang de bon sang ?

Contrarié, il laissa un message et son numéro. D'accord, le rythme des petites villes était plus tranquille. Mais là, c'en était presque ridicule.

Serrant les dents, il enleva son pantalon de jogging, enfila un jean propre, laissa tomber son téléphone dans sa poche de T-shirt et, clopinant, partit en direction de la salle de séjour.

Il fut accueilli par une odeur vive de citron et de désinfectant. Pendant qu'il passait la matinée à traîner dans sa chambre, Hannah s'activait à faire le ménage au rez-de-chaussée. De la musique s'échappait d'une chambre du haut et il pensa un instant à se traîner au premier pour voir ce qu'elle faisait, puis changea d'avis. Il fureta dans les étagères. Tiens ! Il y avait longtemps qu'il voulait lire ce roman de John Grisham. Il s'installa dans le canapé, mais, après quelques minutes, se rendit compte qu'il avait lu la page 6 quatre fois. Il ferma le livre.

Ce n'était déjà pas facile de rester assis à ne rien faire, mais rester assis à ne rien faire pendant qu'Hannah s'agitait dans la maison, il y avait de quoi devenir complètement marteau.

Il fronça les sourcils, songeur. Marteau ? Pour sûr, il avait reçu un bon coup sur la tête ! Alors, quoi de plus normal ?

Il entendait la musique. Qu'est-ce qu'elle pouvait bien être en train de faire ? Il reconnut le bruit inimitable du papier-cache adhésif qu'elle décollait d'un rouleau, puis le frottement du papier de verre. Il regarda l'escalier, puis serra les lèvres. Non et non, il ne monterait pas au premier. S'il la voyait encore une fois onduler si adorablement des hanches, il allait complètement perdre la tête

Un peu d'air frais, voilà ce qu'il lui fallait pour se changer les idées. Voilà. Un peu d'air frais et une bonne bouteille de whisky.

La journée était de plus en plus chaude mais, sous la véranda, pleine de plantes vertes, devant la maison aux murs bleus et aux fenêtres blanches, il faisait frais. Quel joli tableau, pensa-t-il. Aussi joli que la propriétaire.

Ce qui était moins joli, c'était la branche cassée qui gisait toujours au milieu du jardin, au milieu des planches écrasées. Il n'y avait pas eu moyen d'éviter les dégâts mais, malgré tout, il ne se sentait pas très à l'aise à l'idée qu'il en était responsable. La moindre des choses, c'était sans doute qu'il nettoie cette pagaille.

Il descendit les marches à cloche-pied vers les branchages cassés qu'il tira sur le côté, puis, déterminé à ignorer la douleur dans sa cheville, il empila les morceaux de bois de la barrière. Cela faisait quand même du bien de s'occuper.

— Mais qu'est-ce que vous êtes en train de faire, voyons ?

Saisi, Seth se retourna en entendant la voix d'Hannah. Debout sur le trottoir, en jean, les mains posées sur ses hanches, elle le regardait en fronçant les sourcils.

Mon Dieu, qu'elle était jolie... ! Elle posait sur lui ses beaux yeux bleus sévères. Elle s'était fait une espèce de natte, dont s'échappaient plusieurs longues mèches dorées qui retombaient en boucles autour de son visage empourpré par la colère. Son chemisier blanc, sans manches, révélait ses longs bras minces. Elle les croisa dans un geste désapprobateur. Il fallait qu'il se concentre sur son visage. Mais c'étaient ses ravissantes formes féminines qu'il mourait d'envie d'admirer.

— Je croyais pourtant que le médecin avait été clair : repos complet et interdiction de poser le pied par terre. Tirer des branches d'arbres à travers le jardin et empiler du bois ne me semble pas vraiment correspondre à l'une ou l'autre de ces consignes, dit-elle en regardant autour d'elle.

— J'avais besoin de prendre l'air, répondit-il. Et puis, je me suis reposé toute la matinée. Je vous promets que, si ma cheville se met à me faire mal, je ne pose plus le pied par terre.

Il lança un morceau de bois fendu sur la pile, puis se redressa.

— Vous auriez dû m'appeler, dit-elle, les lèvres pincées. J'aurais pu ouvrir une fenêtre ou, tout au moins, vous aider à sortir.

— Je me sens très bien, Hannah, vraiment très bien, dit-il en se baissant pour ramasser un morceau de bois.

Pour le lui prouver, il s'avança vers la pile, s'appuyant de tout son poids sur son pied.

Il s'écroula alors comme une feuille morte. Alors, pour la seconde fois en deux jours, Seth se retrouva allongé sur le dos, à regarder le ciel bleu. Mais cette fois-ci, il y voyait aussi des étoiles. Il attendit un peu que la douleur s'estompe. Et comme, la situation n'était pas assez frustrante et embarrassante comme ça, une voiture qui passait juste à ce moment-là, s'arrêta.

— Vous avez besoin d'aide ? demanda une voix d'homme.

— Non, merci, monsieur Langdon, répondit Hannah, tout sourires, en lui faisant un signe de la main. M. Granger repose juste sa cheville.

Seth compta jusqu'à dix pendant qu'Hannah et M. Langdon s'entretenaient de l'accident avec Maddie ; puis l'homme reprit sa route, non sans avoir d'abord recommandé à Seth de continuer à faire du bon travail.

Hannah, debout devant lui, le regardait. Elle ne faisait rien pour l'aider à se relever. Il y avait une lueur amusée dans ses yeux et, soudain, l'idée de l'attirer dans ses bras lui traversa l'esprit. Au lieu de cela, il lui lança un regard furieux.

— Vous vous montrez toujours aussi difficile ? lui demanda-t-elle

— Absolument pas.

Il se rassit lentement.

— D'habitude, je suis bien pire. Vous êtes tombée sur l'un de mes bons jours.

— Quelle chance !

Elle secoua la tête et s'agenouilla à côté de lui.

— Maintenant vous allez vous tenir tranquille ou faut-il que je fasse appel à l'artillerie lourde ?

— Mais encore ? demanda-t-il en levant un sourcil.

— Pour commencer, j'appellerai le médecin et je moucharderai, puis j'inviterai Billy Bishop pour lui dire que vous êtes d'accord pour lui accorder une interview en exclusivité ; ensuite, je dirai à Mme Schwartz que vous vous ennuyez et que cela vous ferait grand plaisir de la voir débarquer avec son groupe de Bingo. Enfin...

— D'accord, d'accord...

Il leva la main en soupirant.

— Vous avez gagné, je vais me tenir tranquille. Vous vous montrez toujours aussi dure ?

— Absolument pas. Vous êtes tombé sur l'un de mes bons jours, répondit-elle en souriant et en lui tendant une main.

Malgré lui, Seth lui sourit. Il lui prit la main et la laissa le relever. Ses doigts étaient doux contre sa paume, pourtant sa poigne était étonnamment vigoureuse. Il vit clairement, nettement, en esprit, ses mains se poser sur son corps, et il sentit son corps réagir à cette pensée. Puis, à contrecœur, il laissa Hannah l'aider à rentrer dans la maison et, docile, se laisser conduire vers le sofa sur lequel elle lui ordonna de s'asseoir.

— Jambon-gruyère ou croque-monsieur ? lui demanda-t-elle.

— Hannah, pour l'amour du ciel, je ne suis pas handicapé. Je peux me faire un sandwich tout seul.

Elle leva un sourcil menaçant, puis tendit le bras en direction du téléphone portable qui se trouvait sur la table basse à côté du sofa, puis composa un numéro.

— Allô ? Pouvez-vous me passer Billy Bishop s'il vous plaît ?

Seth prit l'air mauvais. Bon sang, comme cette femme était envahissante !

— Hannah, demanda-t-il, cherchant à la mettre en garde, raccrochez.

Elle l'ignora.

— Bonjour, Billy, c'est Hannah Michaels. Je suis avec Seth Granger. Il se demandait si vous pourriez passer chez moi.

Seth essaya de lui arracher le téléphone, mais elle se détourna. Il l'agrippa alors par la ceinture et la fit tomber sur le sofa à côté de lui.

— Il se demandait si vous aimeriez faire une interview de lui, continuait-elle dans le combiné tandis qu'il cherchait à le lui arracher des mains. Peut-être un exposé sur la vie secrète d'un flic à Albuquerque, et le…

Il la cloua sous lui. Il était presque allongé sur elle, et réussit à lui retirer le téléphone.

— Ecoutez, Billy, dit-il, Hannah plaisantait et…

Seth entendit alors la tonalité : il n'y avait personne à l'autre extrémité de la ligne. Il éteignit le téléphone et jeta un regard sévère à Hannah. Ses yeux lançaient des étincelles moqueuses, des petites mèches blondes et soyeuses tombaient en désordre autour de son visage.

Il sentit le premier élan de désir monter en lui, et vibra de partout, se laissant aller à s'enivrer de l'odeur d'Hannah. Une odeur douce et féminine.

Il ne fallait qu'il pas la laisse filer.

Il savait qu'il ne fallait pas qu'il la laisse filer.

Il la coinça alors sur le canapé.

— Très drôle, mademoiselle Michaels, dit-il, rudement. Je devrais vous arrêter pour ce petit canular.

— M'arrêter ? demanda-t-elle, étonnée. Et pour quels motifs ?

— Obstruction au travail d'un policier pendant…

Il réfléchit un instant.

— … la perpétration d'un crime.

— Et de quel crime s'agit-il ?

Il avait envie de lui répondre : le crime d'être beaucoup trop sexy.

— Collaboration et complicité avec l'ennemi.

— Billy Bishop n'est pas vraiment ce que l'on peut appeler un ennemi, Seth, il est journaliste.

— C'est la même chose.

Hannah se mit à rire à cette comparaison. La seule pensée que ce pauvre Billy, si timide, si poli, puisse être l'ennemi de quiconque, était tout simplement ridicule. Elle s'apprêtait à l'expliquer à Seth, mais lorsqu'elle le regarda dans les yeux, elle oublia tout ce qu'elle voulait dire, oublia complètement Billy Bishop. Etant donné la façon dont Seth la regardait, elle n'était même plus trop sûre de se souvenir de son propre nom.

Ses yeux noirs brillaient. Elle sentit son pouls s'accélérer, sa peau frissonner de désir. La chaleur de son corps la gagnait, faisait battre le sang dans ses veines. Elle avait le souffle court.

C'était de la folie. Faire des galipettes sur un canapé, en plein après-midi, avec un homme qu'elle connaissait à peine, c'était complètement dément ! Elle ne se comportait pas comme ça, un point c'est tout. Elle avait des responsabilités, des enfants, des voisins. Elle n'osait même pas imaginer ce que Thelma Goodman, sa voisine d'en face, dirait si elle voyait ce qui était en train de se passer là, au milieu du salon...

La jeune femme savait bien que si elle repoussait Seth, il s'éloignerait. Elle savait aussi qu'elle pouvait mettre un terme à leur flirt aussi rapidement que cela avait commencé.

Mais elle ne pouvait pas se retenir. C'était comme si elle ne pouvait aller contre ce qui était en train de se passer. Jamais auparavant elle n'avait eu autant conscience de la sensualité d'un homme, ni de sa propre féminité.

Elle ne voulait pas que ça s'arrête.

C'était merveilleux. Elle se sentait vivante. Pour quelques minutes seulement, ne pouvait-elle pas prétendre qu'elle était une femme comme les autres ? Depuis combien de temps n'avait-elle pas séduit un peu un homme, un peu flirté ? Depuis longtemps, bien trop longtemps.

Après tout, elle n'était pas vraiment en danger avec Seth. Elle pouvait garder la situation en main. Ils s'amusaient, voilà tout. Rien de ce qui se passait ou de ce qui allait se passer n'était sérieux, ni pour l'un ni pour l'autre.

Alors elle se laissa aller et profita de l'instant présent. Elle posa un doigt sur le torse de Seth et y traça un cercle.

— Si vous m'arrêtez, monsieur l'agent…

— Inspecteur…

— Si vous m'arrêtez, inspecteur Granger, dit-elle, saisie par sa voix sourde, n'êtes-vous pas supposé me lire d'abord mes droits ?

— Vous avez le droit de garder le silence, dit-il d'une voix sereine, tout en lui encerclant les poignets, faisant mine de lui passer les menottes.

Elle frissonna à son contact et serra les lèvres.

— Si vous renoncez à ce droit, continua-t-il, tout ce que vous direz pourra être retenu contre vous.

Il lui mit les bras au-dessus de la tête et, de tout son poids, la cloua sur le canapé. Hannah sentait son cœur battre la chamade. Il devait l'entendre aussi.

— Si vous voulez un avocat…

Sa voix se fit traînante et, lorsque son regard se posa sur sa bouche, Hannah sentit son cœur s'arrêter. Ses mains se resserrèrent encore sur les poignets de la jeune femme, et lentement, il baissa la tête vers elle. Un frisson d'anticipation la parcourut.

Ses lèvres la touchèrent doucement. Il lui butina le coin de la bouche, puis la lèvre inférieure. Elle avait envie de lui murmurer : « Oui, embrasse-moi ! » Mais il donnait l'impression de vouloir prendre son temps et, pour être honnête, elle ne se sentait pas le courage de dire ce qu'elle éprouvait.

Des lèvres, il continuait à la provoquer mais, pas une fois, il ne l'embrassa vraiment. Lorsque, de la langue, il parcourut sa lèvre inférieure, elle poussa un gémissement.

Une foule de sensations la firent tressaillir, toutes plus délicieuses les unes que les autres. Elle entrouvrit les lèvres, elle en voulait encore. Mais comment se faire comprendre ?

Enfin, il l'embrassa... Elle accueillit avidement son baiser. Il avait une bouche chaude, au goût délicieux, au contact viril. C'était follement excitant. Hannah se sentait comme fiévreuse : elle voulait qu'il la caresse partout, qu'il l'embrasse partout, que ses mains et sa bouche courent partout sur son corps.

« C'est impossible », pensa-t-elle, vaguement. Ce qui était en train d'arriver n'était pas réel. On était au cœur de la nuit et, d'ici à quelques secondes, elle allait se réveiller et sortir de ce rêve érotique. Mais voilà ! Elle ne voulait pas se réveiller. Si c'était vraiment un rêve, elle voulait continuer à dormir, elle voulait savoir, voulait sentir ce qui allait se passer ensuite.

Les mains de Seth lui serraient toujours les poignets ; de son corps, il la tenait pressée contre le sofa. Elle se laissa complètement aller à son baiser, répondant à chacune de ses sollicitations, à chacun de ses soupirs. Et pour la première fois depuis des années, elle se sentit vivante.

Seth avait perdu toute capacité de penser. Ce besoin irrésistible d'embrasser Hannah, de la toucher, lui faisait oublier le reste. Dès le début, il avait senti leur attirance mutuelle, il n'était donc pas vraiment surpris. Ce qui le surprenait, c'était l'intensité de cette faim qui le tenaillait.

Au contact de son corps svelte sous le sien, il se sentait comme embrasé. Les petits gémissements qui venaient du plus profond de sa gorge le bouleversaient. Il s'était bien dit qu'il fallait qu'il garde ses distances avec cette femme.

Instinctivement, il avait su que ce genre de chose allait arriver. Et avait-il écouté la voix de la raison ?

Bien sûr que non.

Il leva la tête et la regarda : ses joues étaient empourprées, ses lèvres humides, gonflées par son baiser. Elle battit des cils puis, lentement, ouvrit les yeux. Il put y lire son désir, un désir exactement égal au sien.

Alors, où était le problème ? Tous les deux savaient ce qu'une femme et un homme faisaient dans un lit, n'est-ce pas ? Il s'agissait tout simplement de plaisir. D'une simple relation physique, sans complications, entre deux adultes consentants. Il avait toujours fait attention, avec les femmes avec lesquelles il avait couché. Hannah avait beau être différente, avec elle aussi il prendrait ses précautions.

— Seth ?

Le son de son nom sur ses lèvres lui fit de nouveau baisser la tête. Pas de problème, se dit-il. Il la désirait. Elle le désirait. On ne pouvait pas faire plus simple.

Il laissa glisser ses mains le long des bras de la jeune femme, et posa sa bouche sur la sienne. Elle se cambra, se serrant plus près de lui, encore.

A cet instant, la sonnerie étouffée du téléphone vint les interrompre.

Déception… Seth poussa un profond soupir et se laissa rouler sur le côté tandis qu'Hannah se débattait pour attraper le téléphone qui était tombé entre les coussins.

Fallait-il étrangler la personne qui venait de composer son numéro ? Fallait-il la remercier ? Il ne savait plus trop. Il s'assit et laissa échapper le long soupir qu'il avait jusqu'alors retenu.

— Allô ? dit Hannah en passant une main tremblante dans ses cheveux tout ébouriffés. Je suis désolée, tante Martha. Non, bien sûr, je ne vous ai pas raccroché au nez, hier. Nous avons été coupées et je n'ai pas pu vous rappeler. Je m'apprêtais justement à le faire.

Seth leva un sourcil interrogatif : Hannah venait de faire un mensonge gros comme une maison.

— Vous avez tout à fait raison, tante Martha. J'aurais pu au moins vous rappeler de chez une voisine, continuait Hannah. Je ne sais pas où j'avais la tête. C'est complètement stupide de ma part.

Seth fronça de nouveau les sourcils. La tante d'Hannah ne l'inspirait guère. De là où il était, il pouvait clairement entendre sa voix de crécelle.

Hannah appuya sur la touche « pause » du téléphone et le regarda.

— Je suis désolée. C'est ma tante de Boston. Je dois lui répondre... Euh, bon... Je

La voix de sa tante se transforma presque en cri strident et Hannah relâcha la touche du téléphone.

— Mais oui, bien sûr je suis toujours là. Je suis désolée. Il doit y avoir un problème avec le téléphone.

Elle se retourna et s'éloigna.

— Non, il n'est rien arrivé de grave, ici. Les filles vont bien.

Seth regarda Hannah disparaître dans la cuisine. Tante Martha n'avait manifestement pas eu vent des derniers événements : Maddie dans l'arbre... Hannah qui avait un hôte inattendu et de sexe masculin... Et de toute évidence, Hannah ne tenait pas à ce que sa tante l'apprenne.

Pourquoi donc ?... Enfin, après tout ce n'était pas ses affaires. Hannah ne lui devait aucune explication sur sa vie, pas plus que lui, ne lui en devait.

Quelle femme attirante, cela dit. Il sentait encore son goût, sa peau brûlante. Il la désirait, cela ne faisait pas l'ombre d'un doute. Mais il avait recouvré ses esprits et savait que, après ce qui venait de se passer entre eux, ils feraient mieux d'en rester là. La dernière chose qu'il souhaitait, c'était lui faire du mal.

Il lui fallut un bon moment avant que son pouls reprenne un rythme normal, et que sa douleur au ventre disparaisse. De la cuisine, il pouvait entendre Hannah parler avec sa tante. Il ne pouvait pas entendre ce qu'elle disait, mais son ton conciliatoire le perturbait.

« Ce ne sont pas tes affaires », se rappela-t-il.

Il poussa un soupir, reprit le livre qu'il avait essayé de commencer un peu plus tôt et chassa Hannah Michaels de ses pensées.

5.

Ce n'est qu'au bout de plusieurs heures qu'Hannah se ressaisit. Sa tante lui avait fait la leçon sur les bonnes manières, la politesse de base, et comment voulait-elle que Melissa et Madeline sachent se tenir un jour si même leur propre mère n'était pas capable de leur montrer l'exemple et blablabla, et ainsi de suite... Hannah l'avait laissée fulminer, lui prêtant une oreille distraite, sachant d'instinct à quel moment il fallait dire : « Oui, tante Martha, bien sûr, tante Martha », ou bien ce que sa tante préférait entre tout : «Vous avez parfaitement raison, tante Martha ». Lorsque, enfin, la conversation (ou plus exactement, le monologue) s'acheva, elle constata, à son grand soulagement, que Seth avait regagné sa chambre.

Hannah n'avait pas soufflé mot de l'accident, ni décrit comment Seth avait sauvé Maddie d'une chute certaine. Sa tante aurait sans doute eu une attaque. Et si la vieille dame apprenait que Hannah avait proposé à Seth de l'héberger, Dieu sait quelle serait sa réaction. Une chose était certaine, elle n'approuverait pas du tout. Sa tante était riche, exigeante et terriblement prude.

Hannah n'osait même pas imaginer ce qu'elle dirait si elle pouvait se douter un instant de ce qu'elle avait interrompu en téléphonant : un baiser érotique, bouleversant, passionné, entre sa nièce et un homme qui lui était presque inconnu. Mais, outre ses filles, Hannah n'avait plus que Martha comme famille. Sa tante avait beau être très difficile, lui parler sévèrement, Hannah l'aimait quand même. Elle savait que, à sa façon, Martha les aimait aussi et que tout ce qu'elle voulait, dans le fond, c'était leur bonheur. Le seul problème étant que Hannah et elle avaient une conception très différente du bonheur.

En attendant, alors qu'elle se dirigeait vers la buanderie, un ballot de linge sous le bras, elle se sentait un peu désorientée : elle était à la fois soulagée et déçue que le téléphone ait sonné justement à ce moment-là, perplexe au sujet de son... entretien avec Seth Granger. Chaque fois qu'elle revoyait ce baiser, toutes les trente secondes environ, elle sentait ses lèvres la picoter, elle avait l'estomac tout retourné.

Allons, sa réaction était sans doute exagérée. Seth et elle s'étaient juste amusés un peu. Il l'avait embrassée et elle l'avait embrassé en retour. Quoi de plus normal pour un homme et pour une femme qui éprouvaient une attirance mutuelle, que de faire un petit essai !

Mais y avait si longtemps qu'un homme ne l'avait pas touchée de cette façon. Et depuis combien de temps n'avait-elle pas vraiment voulu sentir les mains d'un homme sur elle ? Trop longtemps. De toute façon, elle n'aurait pas laissé les choses déraper. Elle l'aurait arrêté s'il avait voulu aller plus loin.

« Menteuse. »

Elle s'arrêta en entendant cette petite voix insidieuse qui l'accusait.

« Oui, je l'aurais arrêté », répondit-elle, d'un ton indigné.

« Hannah Louise Michaels, tu es une grosse menteuse, nia encore la voix de sa conscience. Tu sais parfaitement que tu voulais qu'il te caresse. »

Hannah serra les lèvres et ouvrit le séchoir à linge. Elle en sortit le T-shirt noir que Seth portait la veille, et fronça les sourcils en voyant l'accroc à l'épaule.

D'accord, peut-être que, effectivement, elle avait voulu qu'il la touche. Peut-être sa peau frissonnait-elle d'anticipation. Et peut-être même une drôle de chaleur s'était-elle logée dans son ventre. Mais n'y avait-il pas une différence entre vouloir quelque chose et tout faire pour l'obtenir ?

Il n'y avait aucun mal à se laisser aller à rêver un peu, se dit-elle en pliant le T-shirt de Seth et en le posant sur le séchoir électrique. Absolument aucun mal.

Lissant des ses doigts le tissu tiède et moelleux, elle laissa de nouveau son esprit vagabonder, se remémorant le premier contact des lèvres de Seth, ses mains lui emprisonnant les poignets, son corps ferme contre le sien.

L'air était imprégné d'une odeur d'assouplissant et de lessive. Il lui semblait que, depuis qu'il l'avait embrassée, tous ses sens étaient en éveil. Tirant le jean de Seth du séchoir, Hanna le regarda. Il était complètement délavé. Il y avait bien longtemps qu'elle n'avait pas lavé de vêtements d'homme. Cela lui donnait une étrange impression d'intimité. Elle le plia en deux, puis scruta la jambe gauche, déchirée.

— Vous n'avez pas à laver mes vêtements.

Elle sursauta en entendant la voix de Seth à la porte. Son cœur fit un bond. Mon Dieu ! Mais franchement, il avait une façon de toujours s'approcher sans faire de bruit ! Enfin, au moins, cette fois-ci, il ne la surprenait pas en train de chanter et danser.

— Je fais la lessive pratiquement tous les jours, dit-elle en haussant les épaules, d'un air qu'elle voulait décontracté.

Ce n'est pas un problème. Je suis désolée que votre T-shirt et votre jean soient déchirés. Je vous les raccommoderai ce soir.

— Ce n'est pas..., répondit-il en fronçant les sourcils

— ... nécessaire ? finit-elle en souriant. Je sais, mais je veux le faire.

— Hannah, vous n'avez pas à vous y sentir obligée. Vous avez déjà fait beaucoup pour moi.

Ces mots lui coupèrent le souffle. Etait-ce au baiser qu'ils avaient échangé tout à l'heure qu'il voulait faire allusion ? Elle n'en n'était pas sûre. Néanmoins, c'est le baiser qui lui vint à l'esprit.

— Je suis désolée, répondit-elle en se détournant pour attraper une serviette dans le séchoir. Je ne voulais pas me montrer collante.

De tous les mots qui pouvaient qualifier Hannah, « collante » était certainement le moins approprié, pensa Seth. Son visage s'était légèrement empourpré. Elle devait être en train de penser à ce qui s'était passé entre eux. Il était à la fois étonné et intrigué de constater qu'une femme qui avait deux enfants puisse se trouver aussi facilement embarrassée.

Il y avait même une certaine innocence dans la façon dont elle l'avait embrassé cet après-midi. Ce n'était pas exactement un baiser chaste, mais ce n'était pas non plus le baiser d'une femme qui a de l'expérience. Ce qui ne l'empêchait pas, du reste, d'avoir des lèvres exquises, chaudes, sucrées, incroyablement excitantes.

— Hannah, dit-il doucement, il faut que nous parlions de ce qui s'est passé cet après-midi.

— D'accord, répondit-elle en serrant la serviette contre elle.

Bon sang, elle n'avait rien d'autre à dire que « d'accord » ?

— Ecoutez, ce qui est arrivé est arrivé, et avant qu'on comprenne ce qui se passait, ça a un peu dérapé. Je ne voulais ni vous choquer ni vous affoler.

— Vous ne m'avez pas… affolée.

Pourtant elle avait l'air complètement affolée, pensa-t-il, irrité. Crispée, elle s'agrippait à cette serviette bleue comme s'il s'était agi d'un bouclier.

— Si vous trouvez gênant que je reste après ce qui s'est passé, dites-le-moi, je prendrai une chambre au motel.

Elle secoua la tête.

— C'est juste que… C'est simplement… Ce que je veux dire, c'est que… je n'ai jamais fait ce genre de truc avant, finit-elle en fermant les yeux.

— Quoi ? il fronça les sourcils. Vous n'aviez jamais embrassé un homme ?

— Bien sûr que si, répondit-elle d'un ton exaspéré. J'ai des enfants, pour l'amour du ciel. Ce que je veux dire, c'est que je n'ai jamais embrassé un inconnu de cette façon.

— Vous les embrassez comment les inconnus, d'habitude ?

En entendant qu'il la mettait gentiment en boîte, elle sembla se détendre un peu. Elle lui fit un sourire tellement charmant, adorable, qu'il en eut un pincement au cœur.

— Ce que je veux dire, c'est que je n'ai jamais embrassé un homme que je connaissais à peine. Je suis un peu embarrassée à l'idée de ce que vous allez penser de moi.

— Je ne pense rien de vous, dit-il.

Elle leva les yeux vers lui, et il ajouta :

— Bon sang, ce n'est pas ce que j'ai voulu dire. Hannah, je vous ai embrassée, vous m'avez embrassé, c'était merveilleux. Mais nous savons parfaitement tous les deux que cela ne nous mènera nulle part.

— Non ?

Son cœur se mit à battre à se rompre. Mais qu'est-ce qu'elle racontait ? Il la regardait. Ses joues continuaient à s'empourprer.

— Je veux dire, non bien sûr, cela ne nous mènera nulle part.

— Je ne suis là plus que pour quelques jours, je vous promets de ne plus vous toucher.

— Entendu.

— A moins que…

Il vit Hannah retenir son souffle. Il était en train de tendre le bras dans sa direction pour ramasser ses vêtements,

— A moins que quoi ? demanda-t-elle, levant la tête et le fixant.

— A moins que vous ne me le demandiez.

— Oh.

Lorsqu'il se redressa et fit un pas en arrière, elle souffla.

— Seth ?

Il jeta un regard par-dessus son épaule.

— De toute évidence, vous alliez quelque part quand tout cela est arrivé. J'aurais dû vous demander si je pouvais faire quelque chose pour vous, peut-être téléphoner à quelqu'un.

— Ce n'est pas la peine.

C'était beaucoup trop compliqué à expliquer et, de toute façon, il n'avait pas envie d'en discuter.

— J'ai un rendez-vous à Wolf River, mais ça peut attendre.

— Je pourrais vous y conduire, proposa-t-elle. Lori pourrait garder les filles et je pourrais…

— J'ai déjà téléphoné. Vous n'avez rien à faire.

— Mais si c'est important ? insista-t-elle. Si vous devez voir quelqu'un, je peux vous accompagner.

— Hannah, arrêtez. Ecoutez, je vous mentirais si je vous disais que ce n'est pas un rendez-vous important. Mais j'ai réglé le problème et ce n'est pas quelques jours de plus ou de moins qui changeront grand-chose.

— Oh Seth, dit-elle en fermant les yeux et en poussant un soupir, je suis tellement désolée.

— Ce qui est fait est fait, Hannah.

Il haussa les épaules et enchaîna en souriant :

— De plus, je viens de sentir une odeur délicieuse qui s'échappait de la cuisine. J'espère que je suis invité.

Elle sourit en retour.

— J'espère que vous aimez le pain de viande. Je peux vous cuisiner autre chose, sinon.

— J'adore le pain de viande.

Depuis quand n'avait-il pas pris un repas cuisiné maison, assis à une table ? Il ne s'en souvenait même pas. Mais les effluves qui s'échappaient de la cuisine lui faisaient venir l'eau à la bouche.

— Je vais aller prendre une douche, déclara-t-il.

Ses vêtements propres sous le bras, il regagna sa chambre. Une image lui sauta à l'esprit et son cœur se mit à battre plus vite : la petite Lizzie, avec ses grands yeux bleus et ses cheveux bruns, si soyeux. Et Rand, grand et fort, qui avait les mêmes yeux noirs, les mêmes cheveux de jais que lui.... On savait tout de suite qu'ils étaient frères.

Il repensa aux vingt-trois ans pendant lesquels il avait été séparé d'eux. Vingt-trois ans pendant lesquels il les avait cru morts.

Debout sous sa douche, il se répéta inlassablement les mots qu'il se répétait depuis sa chute : après vingt-trois ans, ce n'est pas quelques jours de plus ou de moins qui changeront grand-chose.

Mais, il était maintenant en train de se doucher à l'eau froide. Alors, qui sait si, au contraire, le fait de vivre sous le même toit que Hannah ne changeait pas quelque chose, malgré tout ?

— Derek Matthews peut dire l'alphabet en rotant jusqu'à la lettre G, commença par annoncer fièrement Maddie à la table du dîner.

— Vraiment ?

Hannah était en train de servir purée et brocolis à ses filles.

— Il dit qu'il va s'entraîner à fond et que la semaine prochaine il pourra aller jusqu'à Z, ajouta cette dernière. Derek dit que plus on pratique, plus on a de chances d'être parfait.

— Ah bon ?

Hannah jeta un coup d'œil à Seth et put lire une lueur d'amusement dans ses yeux. Elle l'avait servi d'abord, lui demandant de commencer, mais, poli, il attendait.

— Ce n'est pas Derek qui a dû aller à l'infirmerie la semaine dernière parce qu'il s'était mis une perle dans le nez ?

Les boucles blondes de Maddie se mirent à virevolter alors qu'elle acquiesçait, pleine d'animation.

— Il avait dit qu'il pouvait la souffler de sa narine et l'envoyer à trois mètres en l'air.

— C'était une grosse perle jaune, dit Missy, les yeux pleins d'admiration.

Hannah n'était pas tout à fait sûre que les étonnants talents de Derek soient le sujet de conversation idéal devant un invité, mais elle était heureuse de voir que ses filles, égales à elles-mêmes, babillaient allègrement. Elle avait l'impression que, pour sa part, chaque fois qu'elle ouvrait la bouche devant Seth, c'était pour dire quelque chose qu'elle n'aurait pas dû dire.

Elle n'arrivait toujours pas à croire qu'elle lui avait répondu ce qu'elle lui avait répondu lorsqu'il lui avait dit que ce qui s'était passé entre eux ne les mènerait nulle part.

« Non ? », avait-elle dit.

Ce n'était pas une constatation, c'était bel et bien une question.

Et comme si cela ne suffisait pas, pourquoi avait-il ensuite fallu que sa voix trahisse sa déception ?

Elle le dévisageait alors qu'il regardait tour à tour les fillettes occupées à lui raconter, à grand renfort de détails explicites, l'épisode de la perle dans le nez de Derek Matthews. Chacune des filles essayait de couvrir la voix de l'autre. Il était clair qu'elles se battaient pour attirer son attention. En dehors du mari de Lori, John, il n'y avait eu aucune présence masculine dans la vie des fillettes depuis que leur père était parti, trois ans auparavant. Brent s'était plaint d'être trop occupé. Il avait fait de vagues tentatives pour venir les voir, mais elles connaissaient la vérité : il n'avait jamais voulu être père et, après la naissance des jumelles, il n'avait plus souhaité être un mari non plus.

Seth était le premier homme qu'elles voyaient habiter chez elles, et elles étaient tout excitées à l'idée d'avoir un vrai héros, pas un héros de science fiction, à la maison.

Et pour être tout à fait franche, Hanna aussi appréciait la compagnie de Seth.

Elle avait entendu l'eau qui coulait pendant qu'elle préparait le dîner, et avait essayé de ne pas l'imaginer sous sa douche ; mais, malgré elle, ses pensées s'étaient mises à vagabonder. Il était arrivé dans la cuisine, ses cheveux noirs et humides plaqués en arrière, dégageant son visage rasé de près. Il s'était changé, avait passé un T-shirt blanc et un jean propre. Son pansement était parti et, bien que l'arcade sourcilière fût encore bleue, la plaie n'avait plus l'air aussi méchante. Depuis qu'il s'était assis, il n'avait pas dit grand-chose ; cependant, ses yeux noirs, attentifs, semblaient tout enregistrer.

Elle aussi enregistrait tout, pensa Hannah, dévisageant Seth : le T-shirt qui habillait son torse athlétique ; les manches bien ajustées sur les bras musclés et bronzés... Il avait de grandes mains calleuses et, elle avait beau essayé de ne pas penser à l'effet que lui feraient ces mains sur sa peau nue, son corps la trahissait.

Elle se força à cesser de fantasmer sur l'homme qui était assis en face d'elle et ramena son attention sur Missy et sur Maddie qui semblaient prêtes à se disputer.

— C'est vendredi à 9 heures, *Montre-et-raconte*, s'exclama Maddie d'un ton dramatique.

— Non, répondit sa sœur, c'est à 10 heures.

— Ça suffit les filles, dit Hannah d'un ton sévère. Vous demanderez à Mlle Reynolds demain. Qui amenez-vous, cette fois ?

— On amène M. Granger.

A l'autre bout de la table, Seth émit un drôle de bruit. Il semblait sur le point de s'étouffer. Hannah, impassible, regarda ses filles.

— Pardon ? demanda-t-elle.

— Tous les enfants veulent le voir, répondit Maddie. Alors Missy et moi avons pensé que ce serait cool de l'amener avec nous.

Hannah, jetant un coup d'œil en direction de Seth, put voir la fugitive lueur d'effroi qui brilla dans ses yeux. Seth

Granger, l'homme qui volait dans les airs et qui, d'un bond, pouvait sauter sur le toit d'un immeuble, avait donc peur des enfants ? Il la regarda intensément, l'implorant du regard de le sortir de cette mauvaise passe.

Essayant de garder son sérieux, elle regarda ses filles aussi gravement que possible, mais sentit qu'un sourire flottait sur sa bouche.

— J'ai bien peur que vous ne puissiez pas emmener M. Granger à *Montre-et-raconte*, les filles.

— Pourquoi pas ?

— Eh bien, répondit Hannah qui dut réfléchir un instant, parce que...

— Vous n'aimez pas les enfants ? demanda Maddie en regardant Seth.

— Si, bien sûr, répondit-il, pas trop convaincu.

— Alors vous pouvez venir ? demandèrent les jumelles, en chœur.

— Je ne suis vraiment pas sûr d'être très intéressant à montrer, dit Seth.

— Travis Jeffers a apporté son hamster la semaine dernière, ajouta Maddie qui conclut en regardant Seth : vous seriez beaucoup mieux qu'un hamster.

— Merci, répondit Seth, imperturbable.

— Vous ne voulez pas venir ? demanda Maddie à Seth.

— Eh bien...

Visiblement, il était au supplice. Il se tourna de nouveau vers Hannah qui vint à sa rescousse :

— Désolée, les filles, mais il va falloir que vous trouviez autre chose.

— D'accord, répondit Maddie d'un ton dramatique, mais à l'école, tous les enfants vont être très déçus.

— Peut-être pourrions-nous apporter le globe lumineux que tante Lori nous a offert, suggéra Missy, c'est plutôt cool.

Hannah voyait que Seth avait du mal à suivre les idées qui fusaient, alors que les filles discutaient de nouvelles options pour le *Montre-et-raconte*. Cet homme n'était, de toute évidence, pas dans son élément.

Mais c'était quoi, au fait, son élément ? Elle ne voulait pas se montrer indiscrète, mais une foule de questions se bousculaient dans sa tête. Des questions qui ne la regardaient en rien, mais cela ne l'empêchait pas de brûler de curiosité. Lorsqu'elle lui avait demandé où il se rendait au moment de l'accident, il avait pris une expression… prudente, oui c'était le mot juste. Et il ne s'était pas répandu en explications, si ce n'est le fait qu'il était en route pour Wolf River et que ce qu'il avait à y faire était important.

Mais, avant qu'il réponde, elle avait cru déceler quelque chose dans son regard : une lueur d'émotion intense qui avait disparu aussi vite qu'elle était apparue. Elle en était sûre.

Allait-il retrouver une femme ? Et si c'était à son propre mariage qu'il se rendait et, qu'en ce moment même, deux cents personnes étaient en train d'attendre qu'il arrive pour l'entendre dire « oui »… ?

Fronçant les sourcils, elle piqua sa fourchette dans un morceau de pain de viande. S'il partait se marier, ce goujat n'aurait certainement pas dû se permettre de l'embrasser. Il n'aurait pas dû être assis à cette table, n'aurait pas dû…

Les voix de ses filles qui se disputaient interrompirent le fil de ses pensées.

— Si ! disait Maddie.

— Non ! rétorqua Missy.

— Mon Dieu, qu'est-ce que c'est, maintenant ? soupira Hannah.

— Tu as du brocoli entre les dents, chantonnait Maddie.

— Menteuse !

Maddie attrapa une petite fleur de brocoli et la coinça sous sa lèvre supérieure.

— Regardez, je suis Missy, dit-elle, taquine, j'ai du brocoli qui me pousse dans la bouche.

Le visage de Missy s'empourpra de colère.

— Je vais raconter à tout le monde à l'école que tu dors avec un doudou.

— Vous arrêtez ça tout de suite, déclara Hannah, d'un ton ferme. On ne se tient pas comme ça à table, pendant le dîner, surtout quand on a un invité. Madeline Nicole, tu fais tout de suite des excuses à ta sœur et à M. Granger.

— Pardon, dit Maddie en baissant les yeux.

— Maintenant, vous montez toutes les deux. Vous êtes punies. Je vous rejoins dans une minute.

Penaudes, les deux fillettes se levèrent de table. Hannah ferma les yeux et poussa un long soupir.

— Je suis désolée. Je ne sais pas ce qu'elles ont, depuis quelque temps. On dirait que, dès que j'ai le dos tourné, elles font des bêtises.

— Ce que vous voulez dire, c'est que ce sont des enfants normales ?

— Je ne laisse pas passer ce genre d'écart de conduite.

— Vous pouvez ne pas laisser passer, mais vous ne pouvez pas non plus toujours empêcher, répondit-il avec un haussement d'épaules.

Elle le regarda avec méfiance, se demandant si, après tout, elle ne s'était pas trompée sur son compte.

— Vous avez des enfants ?

— Seigneur, non ! Mais je me rappelle ma mère nous demandant régulièrement de quitter la table, à mon frère et à moi.

— Vous avez donc un frère ?

— Oui...

Son regard se fit lointain.

— ... et une sœur.

— Et où habitent-ils ?

Il la regarda puis secoua la tête.

— Je ne sais pas.

— Vous ne savez pas ?... répéta-t-elle en fronçant les sourcils, perplexe.

— C'est compliqué, répondit-il, crispé. Laissez-moi vous aider à débarrasser la table.

— Non, répondit-elle, encore surprise de ce qu'elle venait d'entendre. Je peux le faire seule.

Hannah devinait qu'il avait envie de parler. Mais il ne semblait pas se décider.

— Merci pour le dîner, vous faites très bien le pain de viande.

— Je prends ça comme un compliment, répondit-elle en souriant.

— C'en est un, répondit-il en souriant à son tour.

Il sortit de la pièce en boitant. Elle le suivit des yeux pendant plusieurs secondes. Cet homme était vraiment une énigme : il était complexe, déroutant, et son passé semblait peser bien lourd sur ses larges épaules.

Elle entendit les filles qui riaient au premier. Dieu merci, elles avaient fait la paix. Elle allait leur faire couler un bain, puis ferait la vaisselle. Ensuite, elle attaquerait la demi-douzaine de coussins sur lesquels elle devait broder des initiales. Demain, il fallait qu'elle se lève une heure plus tôt pour préparer la commande de muffins.

Eh oui, aussi séduisant que fût Seth, et malgré l'attirance indéniable qu'elle éprouvait pour lui, Hannah n'avait vraiment ni le temps ni la place dans sa vie pour qui que ce soit.

6.

Le lendemain après-midi, Seth sortit sous la véranda, à l'avant de la maison. La journée était belle, le ciel bleu parsemé de petits nuages floconneux, et il flottait dans l'air comme un très léger avant-goût d'automne. La brise tiède embaumait du parfum des dernières roses du jardin d'Hannah. Il s'arrêta un instant, tendant l'oreille, étonné par le silence : pas d'avions ou d'hélicoptères volant à basse altitude, pas de bourdonnements de scies, pas de rumeur d'autoroute, pas de sirènes de police. Il ne savait pas qu'une telle paix puisse exister, et n'était même pas trop sûr d'aimer ça.

Mais sa jambe lui faisait moins mal aujourd'hui, c'était toujours ça. Il éprouvait moins de difficultés à marcher car sa cheville avait considérablement désenflé. Si seulement il pouvait réussir à obtenir quelques informations sur l'état de sa moto. Comme c'était agaçant ! Le téléphone d'Hannah n'avait pas arrêté de sonner ce matin, mais ce n'était jamais le garage. Seth ne tenait pas à se mettre en colère, mais il était loin d'être le plus patient des hommes.

Il se retourna au son d'un aboiement sonore et plein d'enthousiasme, et se trouva nez à nez avec Beau qui avait les pattes avant sur la petite barrière séparant les deux jardins. Le chien agitait joyeusement la queue. Il aboya de nouveau.

— Alors, on est copains maintenant ? lui dit Seth en souriant.

Il alla à sa rencontre en clopinant et gratta le grand berger noir entre les deux oreilles. Beau renifla la main de Seth avec gourmandise.

— Pomme-épices, lui indiqua Seth. Hannah a fait des muffins pour un régiment, ce matin.

En guise de réponse, Beau aboya deux fois.

— Ça, tu ne m'apprends rien, répondit Seth en secouant la tête. Cette femme ne s'arrête jamais. Dieu sait à quelle heure elle s'est couchée la nuit dernière. Maintenant, elle est au premier à trafiquer je ne sais trop quoi dans cette chambre qu'elle refait.

Beau pencha la tête de côté et émit un petit « whouaf ».

— Hé, mon vieux, je lui ai offert mon aide, se défendit Seth. Mais avec elle, le mot têtu prend une signification toute nouvelle.

Tout comme d'autres mots la qualifiant, d'ailleurs : sexy, attirante, songea-t-il.

Oui, tout particulièrement, attirante.

Il avait eu un mal fou à s'endormir, la nuit dernière : l'attirance qu'il éprouvait pour Hannah occupait toutes ses pensées. Longtemps, il avait gardé son goût dans la bouche. Son parfum, un parfum léger, féminin, flottait dans toute la maison. La dernière chose qu'il voulait en l'embrassant, hier, c'était perdre le contrôle. Pourtant, c'est ce qui s'était passé. Il avait tout simplement arrêté de penser. En tout cas, ce n'était plus avec son cerveau qu'il pensait.

Il s'était promis de ne plus la toucher — à moins qu'elle ne le lui demande. Il sourit en se souvenant de son regard, hier, lorsqu'il le lui avait dit dans la buanderie. Son visage exprimait la surprise la plus totale. Il ne lui était visiblement jamais venu à l'esprit qu'elle pourrait un jour faire ce genre de requête à un homme.

Seth allait tenir sa promesse. Mais cela ne serait pas facile. La logique, la raison, plus rien de tout cela ne comptait. Il suffisait à Hannah d'entrer dans une pièce, pour qu'il sache à quel point il la désirait.

Beau poussa un petit gémissement. Seth, sourcils froncés, regarda le chien.

— Dis donc, est-ce que j'ai dit que j'allais passer à l'acte ? Je peux me contrôler, je ne suis pas un animal, moi.

Beau semblait d'accord. Il s'enfuit en courant, dans un concert d'aboiements. Seth, tout sourires, admira la foulée du chien. Il s'apprêtait à rentrer lorsque le grand berger revint vers lui, à toute allure, un journal dans la gueule. Posant ses grosses pattes sur la barrière, il laissa tomber le journal plié aux pieds de Seth.

— Merci, mon vieux, lui dit Seth.

Et il lui tapota la tête avant de ramasser le journal. Tiens ! Bonne idée, il allait lire un moment sous la véranda. Il était curieux de voir de quoi étaient faites les nouvelles locales, dans un endroit aussi calme que Ridgewater. Après avoir rendu le journal à Mme Peterson, il téléphonerait de nouveau au garage pour essayer de savoir quand cette fichue moto serait enfin prête.

Et après avoir passé son coup de fil, il s'aventurerait peut-être au premier, juste pour voir ce que Hannah…

Il monta quelques marches en dépliant le quotidien. Le gros titre le frappa :

UN INSPECTEUR DE POLICE D'ALBURQUERQUE SAUVE HÉROÏQUEMENT UNE PETITE FILLE D'UN ACCIDENT GRAVE

Une photo de lui couvrait un quart de page. Ce n'était pas une photo récente, c'était une photo de sa remise de diplôme de l'Académie de Police !

Qu'est-ce que c'était que ce cirque ?

L'article donnait une version détaillée de l'incident. Il s'étalait sur toute la première page, continuait sur les trois quarts de la page 2, agrémenté de photos des jumelles et des « témoins ». Le tout, ridiculement exagéré.

Seth referma le journal d'un coup sec, avant de se ruer dans l'escalier. Sa jambe gauche lui faisait un mal de chien, mais c'était le cadet de ses soucis.

Billy Bishop était un homme mort.

Hannah, du papier de verre à la main, se tenait debout sur la dernière marche de l'escabeau, grattant la fissure qu'elle avait comblée au-dessus de la fenêtre de la chambre... Ses bras nus, sa salopette en jean et son débardeur noir étaient recouverts d'une fine couche de poudre blanche. Malgré sa casquette de base-ball, sa queue-de-cheval en était pleine aussi. Dès qu'elle aurait fini, elle filerait prendre une douche. Ce ne serait pas du luxe, entre cette poussière et la saleté des travaux, sans parler des gouttes de sueur qu'elle sentait glisser sur son ventre !

Elle se prit à rêver d'un bain plein de bulles aériennes, parfumé à la fraise. Plongée dans l'eau chaude, la tête calée contre le rebord de la baignoire, les yeux fermés, elle écouterait un disque d'Andréa Bocelli...

Quelqu'un était en train de hurler son nom :

— Hannah !

Saisie, elle chancela et faillit tomber.

Seth se précipita dans la pièce, un journal à la main.

— Hannah, vous avez vu ça ?

Seigneur !

— Vous avez vu ? répéta-t-il impatiemment.

— Le journal ?

— Oui, le journal d'aujourd'hui, répondit-il, crispé, en s'approchant.

Sourcils froncés, il leva les yeux vers elle.

— Non, je ne l'ai pas vu.

C'était la vérité. Elle ne s'était pas abonnée à la gazette. Non seulement elle n'avait pas d'argent, mais en plus elle n'avait vraiment pas le temps de lire les journaux. Et puis, dans une petite ville comme Ridgewater, on avait vite vent des nouvelles intéressantes.

Mais, une chose était certaine, elle avait entendu parler de cet article. Le téléphone n'avait pas arrêté de sonner de la matinée. Etant donné que Seth avait exprimé clairement son désir de ne rien vouloir avoir à faire avec les médias, Hannah avait évité de lui en parler.

Et pourtant il s'était débrouillé pour tomber dessus.

— En première page, dit-il d'une voix rageuse en lui mettant le journal sous le nez. La fichue première page !

Elle regarda le journal. En effet, la photo de Seth couvrait presque toute la moitié de la page.

— Oh, mais c'est une très jolie photo...

— Hannah ! Il ferma les yeux, étouffant un juron, puis respira. Descendez de là, continua-t-il.

Pas question. Elle n'avait pas peur de sa colère, mais elle se sentait beaucoup plus sûre d'elle, juchée sur son escabeau.

— Je dois vraiment finir ici, puis je dois...

Sa voix se fit très dure.

— S'il vous plaît, Hannah.

Son morceau de papier de verre toujours à la main, elle descendit de plusieurs marches pour se retrouver à hauteur de Seth.

— Hannah, dit-il en la regardant d'un air sérieux, je suis un inspecteur des services secrets.

Un inspecteur des services secrets ? Mon Dieu !

— Un inspecteur des services secrets…, répéta-t-elle.

— Oui. Et, à votre avis, quelle est la dernière chose qu'un inspecteur des services secrets souhaite que l'on sache à son sujet ?

— Qu'il est un inspecteur des services secrets, répondit-elle la gorge serrée.

— Exactement.

— Seth, je suis vraiment désolée, je n'avais pas idée de…

— Ça, je m'en serais douté, répondit-il en regardant sa photo d'un air furieux.

Une pensée traversa soudain l'esprit de Hannah.

— Vous n'êtes pas ici, je veux dire, à Ridgewater…

— En mission ?

Il leva un sourcil et pencha la tête de côté.

— Non, Hannah, je ne travaille pas en ce moment.

— Vous êtes en vacances ?

Elle se doutait bien que sa question était ridicule. Mais elle préférait vérifier, pour se rassurer.

— Pas vraiment. Je suis, comment avez-vous dit hier soir…

Il réfléchit un instant.

— Je suis puni.

— Puni ?

— J'ai eu un différend avec mon patron. Je n'aime pas sa politique et il n'apprécie pas ce qu'il appelle mon insubordination.

— Il vous a puni pour insubordination ?

— Pour tout vous dire, je suis en permission forcée parce que je lui ai mis un coup de poing dans la figure, à ce crétin.

— Vous avez mis un coup de poing dans la figure de votre patron ? Mais pourquoi ?

Elle avait l'impression d'être idiote : ou elle répétait tout ce qu'il disait, ou elle lui répondait par une question.

— Il m'a refusé du renfort lors de la dernière perquisition dans laquelle j'ai été impliquée. Mon associé a failli y passer. Sans parler des deux flics en uniforme qui se sont pointés à un moment extrêmement critique de l'opération. Alors, quand Jarris est arrivé sur les lieux, j'étais... perturbé.

Jarris. C'est le nom qu'avait balbutié Seth après sa chute.

— Alors, vous avez mis un coup de poing dans la figure de... Jarris ?

— Exactement, répondit Seth, une lueur de satisfaction dans les yeux.

— Et vous êtes en permission forcée pour combien de temps ?

— Six semaines.

— Six semaines ! Et mes filles qui trouvent le temps long quand je les punis un quart d'heure...

Sa réaction faillit lui arracher un sourire. Mais il fixa de nouveau le journal.

— Six semaines ce n'est rien par rapport à ce qui m'attend si Jarris tombe là-dessus. Je peux finir derrière un bureau à remplir des paperasses, ou avec des gants blancs à faire la circulation.

— Oh ! Seth, je suis désolée, soupira Hannah. Mais vous avez dû vous rendre compte, maintenant, qu'il ne se passe pas grand-chose à Ridgewater ?

Il la regarda : pas grand-chose ? Le terme était faible ! Mais il ne dit rien.

— Cette histoire, continua-t-elle, aussi simple et peu importante qu'elle puisse vous paraître, c'est une véritable aubaine pour Billy. Mais s'il avait su, je suis sûre qu'il n'aurait jamais fait paraître cet article.

— C'est un journaliste, Hannah. C'est ce que les journalistes font. Ils ne peuvent pas s'en empêcher.

Il devait avoir raison. Billy aurait certainement fait paraître l'article de toute façon ; mais elle était convaincue qu'il n'aurait pas inclus la photo. A cette pensée, elle leva vivement les yeux vers lui.

— Ça vous met en danger ?

— J'en doute. Cette photo est assez ancienne et, après cette dernière mission, je ne pense pas que Jarris me charge d'enquêtes de première importance.

— Et pourquoi ça ?

— Eh bien, je vais peut-être vous surprendre, répondit-il posément, mais il a l'air de croire que je ne suis pas très docile.

— Vraiment ? répondit Hannah.

— Oui, je sais, c'est difficile à croire.

Il haussa les épaules puis se pencha vers elle comme s'il s'apprêtait à lui dire un secret.

— Il croit aussi que j'ai mauvais caractère.

La chaleur de son souffle dans son oreille fit frissonner Hannah.

— Je me demande bien ce qui lui a mis cette idée dans la tête, murmura-t-elle.

— Disons que j'aime bien faire ce que je veux, dit-il, et quand je veux.

La gorge serrée, le cœur battant, elle se sentait faiblir.

— Vraiment ?

— Oui.

Hannah n'arrivait pas à croire qu'elle était en train d'avoir cette conversation avec Seth. Elle n'arrivait pas à croire qu'elle était debout sur cet escabeau, couverte de poussière, sans maquillage, les cheveux en bataille, et que, pourtant, Seth la regardait d'une façon telle, qu'elle se sentait... sexy.

Il ne la toucha pas, mais il se rapprocha encore, posa sa main sur l'escabeau, la coinçant sur la première marche.

— Il dit que je suis trop imprévisible, trop impulsif.

— L'êtes-vous ?

Hannah retint son souffle. Elle contempla le visage de Seth : les yeux, le nez, la bouche, oh, oui, la bouche... Son cœur battait la chamade.

— Suis-je quoi ? reprit-il.

— Trop impulsif...

— Non.

Elle se sentit déçue.

— Je sais toujours exactement ce que je suis en train de faire, murmura-t-il, et je sais exactement ce que je veux. Et vous ?

Son corps la frôlait de si près qu'elle était incapable de se concentrer, de penser. Elle réussit quand même à dire non de la tête.

Lui aussi avait toujours les yeux fixés sur sa bouche : il allait l'embrasser, elle en était sûre. Elle voulait tellement qu'il l'embrasse...

Mais il se redressa, ôta ses mains de l'escabeau et s'éloigna. Si quelques minutes auparavant Hannah s'était sentie déçue, elle se sentait maintenant carrément frustrée.

Elle savait parfaitement ce qu'elle voulait, mais ce qu'elle ne savait pas, c'était comment le demander. Quels mots utilisait-on ? Elle n'en avait aucune idée. D'ailleurs, même si elle avait su, aurait-elle été capable de les prononcer ? Non, elle en était sûre. Elle avait besoin de quelques minutes pour recouvrer ses esprits, pour se remettre. Heureusement, occupé à examiner la pièce, Seth lui tournait le dos.

Il se dirigea vers la fenêtre, puis vers la porte de la salle de bains. Tiens, il ne boitait plus autant, aujourd'hui.

— Comment va votre jambe ?

— Ça va mieux. Vous travaillez bien, enchaîna-t-il en passant la main sur une fissure qu'elle avait déjà comblée.

— Merci.

Il fallait qu'elle s'occupe les mains. Elle reprit son bloc de papier de verre.

— Après celle-ci, j'aurai juste une chambre à terminer.

Il passa sa tête dans la salle de bains. Hannah avait fait l'acquisition d'un carrelage neuf, mais n'avait pas l'argent pour payer la pose.

— J'espère ouvrir pour Noël, indiqua-t-elle.

— Qu'est-ce qui vous en empêche ?

Ah non ! Elle n'allait pas se mettre à discuter de sa situation financière avec lui. Elle ne voulait pas de sa pitié, pas de sa compassion.

— Mes grands-parents ont légué cette maison à ma mère et à ma tante. Lorsque ma mère est morte, il y a six ans, j'ai hérité de la moitié de la maison. Elle était louée jusqu'à ce que je m'y installe avec les filles, il y a trois ans.

Elle fit une pause et il leva les yeux vers elle.

— Après votre divorce ?

— Après ma séparation, précisa-t-elle en remontant sur l'escabeau et en se remettant à frotter au papier de verre. Le divorce n'a été prononcé définitivement qu'un an après.

Maintenant, il allait poser des questions. Les gens voulaient toujours savoir ce qui s'était passé et pourquoi.

Cela aurait dû la laisser indifférente. On ne pouvait plus revenir en arrière, de toute façon. Au fond de son cœur, elle savait bien que, pour les filles et pour elle, c'était beaucoup mieux ainsi.

Mais cela ne la laissait pas indifférente. Surtout venant de Seth.

— Et votre tante ? Vit-elle à Ridgewater ?

Hannah, qui retenait sa respiration, poussa un long soupir. Il n'avait pas posé de questions, pensa-t-elle, soulagée. Elle sentit la tension dans ses épaules se relâcher.

— Elle a grandi ici mais elle s'est mariée et a déménagé à Boston quand j'étais petite.

— Elle était en colère après vous, hier, hein ? Quand elle a téléphoné ?

Encore une fois, au souvenir du baiser de Seth, ses sens s'affolèrent.

Hannah s'obligea à se calmer, à ne plus penser. Soufflant sur la poussière du mur, elle haussa les épaules.

— Elle est un peu seule. Mon oncle est mort, il y a deux ans. Mais elle s'occupe avec la Cambridge Revolutionary Society, et préside l'association culturelle des femmes de Boston.

Elle fut interrompue par deux petits coups de Klaxon. Elle descendit de l'escabeau et jeta un coup d'œil par la fenêtre. Maddie et Missy venaient de sauter de la grosse Yukon de Lori, et couraient en direction de la maison.

— Je suis en haut, cria Hannah en entendant la porte d'entrée s'ouvrir.

— Maman, maman, crièrent les filles en chœur en grimpant l'escalier quatre à quatre, nous sommes célèbres !

Hannah jeta un regard d'excuses à Seth. Il se contenta de s'appuyer contre le mur en croisant les bras.

Maddie et Missy firent irruption dans la pièce et, brandissant le journal, se précipitèrent vers elle.

— Regarde, maman, regarde ! Moi et Missy, on a nos photos dans le journal.

— Missy et moi, corrigea sa mère.

— Non, pas toi, c'est juste Missy et moi, dit Maddie tout excitée, avant de courir vers Seth.

— Et vous aussi monsieur Granger. Regardez, vous êtes en première page et tout !

— Tiens donc !

Seth s'agenouilla, sourcillant à peine, et regarda la photo comme si jamais il ne l'avait vue auparavant.

Hannah lui fut reconnaissante du sourire qu'il fit à sa fille. Elle savait bien que cela représentait un effort considérable de sa part. Les filles, toutes joyeuses, sautaient en l'air en montrant la photo du doigt, expliquant à Seth comment leur maîtresse leur avait demandé de venir au tableau pour raconter à la classe ce qui s'était passé. Le journal faisait référence à leur anniversaire, dans deux semaines, et cela n'en finissait pas de les réjouir. Lorsqu'il se pencha pour se mettre à leur hauteur, elles posèrent leur tête sur chacune de ses épaules et s'appuyèrent contre lui. Si elles avaient pu, elles seraient montées sur ses genoux !

Hannah était étonnée de voir le peu de temps qu'il avait fallu à ses filles pour adopter Seth. Au cours des dernières années, Lori ou une autre de ses amies bien intentionnées de Ridgewater, avaient bien essayé de lui arranger des rendez-vous. Bien que ses soupirants se fussent montrés extrêmement gentils à l'égard des jumelles, jamais les filles ne leur avaient témoigné le moindre signe d'intérêt.

Elle non plus, d'ailleurs.

Seth Granger était le premier — ce qui revenait au pire des choix, pensa Hannah avec un soupir. Pour ses filles comme pour elle.

Hannah posa le papier de verre et attrapa un chiffon pour s'essuyer les mains.

— Les filles ! Allez vous laver les mains, je descends dans une minute vous préparer votre goûter.

— D'accord, répondirent-elles en chœur, en attrapant Seth chacune par une main. Vous pouvez goûter avec nous, monsieur Granger ? Vous aimez les tartines de beurre de cacahuète à la banane ?

Hannah put voir la lueur d'hésitation dans les yeux de Seth, mais les filles ne lui laissèrent pas une chance de répondre. Elles le tirèrent vers la porte, en continuant à babiller. Il jeta un coup d'œil par-dessus son épaule, l'air totalement abasourdi. Maddie et Missy s'arrêtèrent à la porte.

— Ah ! Tante Lori te fait dire que nous partons au camp à 15 heures au lieu de 16 heures, demain, parce que le dentiste a annulé son rendez-vous.

Avant que Hannah ait pu répondre quoi que ce soit, elles avaient disparu comme deux bulles légères. Un camp ? Quel camp ? Hannah sentit son cœur faire un bond. Bien sûr ! Ça lui revenait, maintenant. Le camp de vacances Wickamackee où Lori était animatrice depuis dix ans... Avec tous les événements de la semaine, elle avait oublié que Lori emmenait les jumelles camper au bord du lac pour le week-end comme tous les six mois, depuis que les filles avaient trois ans.

Le rire de ses enfants se mêlait au bruit de l'eau du lavabo de la salle de bains. Sans le voir, elle regarda le chiffon entre ses mains puis poussa un long soupir. Seth et elle allaient être seuls ce week-end.

Seuls.

7.

— Dix jours ? Vous voulez rire ? Qu'est-ce qui peut bien vous prendre dix jours ?

Les dents serrées, Seth écoutait les explications que Ned Morgan, de Morgan Garage et Mécanique, lui donnait sur l'état de sa moto. Les pièces détachées étaient commandées et seraient expédiées de Californie dans quatre jours. Il s'attaquerait illico aux pièces défectueuses, avec son fils, Ed.

Ned et Ed. Magnifique !

Absolument magnifique.

Seth raccrocha et se mit à jurer. Cela faisait déjà cinq jours qu'il était là. Il s'apprêtait à rempiler pour dix jours. Il savait bien qu'il n'était pas encore prêt à reprendre la route. Sa cheville était toujours enflée et, quand il posait le pied à terre, il sentait des petits pincements de douleur dans la jambe. Mais dix jours ! C'était beaucoup trop long.

Bon sang de bon sang, il ne pouvait vraiment pas rester si longtemps sans reprendre la route.

En entendant Beau qui, tout excité, aboyait dans le jardin, il attrapa un chocolat à la menthe dans une coupe en cristal sur la table basse et se dirigea vers la fenêtre. Il vit la voiture familiale d'Hannah qui remontait l'allée. Il sortit le chocolat de son papier et, tout en regardant la jeune femme se garer, il le porta à sa bouche. Elle descendit de voiture et salua le chien.

Il ne la voyait plus beaucoup, depuis que les filles étaient parties, hier, avec Lori et sa famille. Après lui avoir préparé ce succulent dîner, la veille au soir — un poulet aromatisé d'herbes délicieuses —, elle avait mis une robe fourreau prune, avait relevé ses cheveux en chignon et, vers 7 heures du soir, était venue le saluer, lui recommandant de profiter du calme. Elle n'était pas rentrée avant minuit.

Minuit, nom d'une pipe !

Aujourd'hui, elle était sortie vers 11 heures du matin dans une longue jupe à fleurs et un twin-set. Elle qu'il voyait toujours en jean et en salopette. Pourquoi s'était-elle apprêtée de la sorte ?

Ou pour qui ?

Mais il ne le lui demanderait pas. Ce n'était certainement pas ses affaires. Elle avait bien le droit de sortir. Avec deux filles de cinq ans, elle ne devait pas avoir beaucoup d'occasions de s'amuser. Alors, puisqu'elles étaient parties pour le week-end... Elle n'avait aucune raison de rester à la maison pour lui.

Depuis son arrivée, Seth n'avait pas vu d'hommes chez elle, mais il se doutait bien que plus d'un célibataire lui tournait autour. Hannah était une très belle femme, elle était intelligente, sexy. Et quand elle souriait, elle était plus que belle, elle était éblouissante.

D'ailleurs elle était en train de sourire à Beau et lui tapotait la tête tout en lui parlant. Il éprouva une drôle de sensation, en la regardant ; un étrange désir qui ne fit que s'amplifier lorsqu'il l'entendit rire. Purement sexuel, se dit-il. Purement et simplement sexuel. Il avait peut-être la cheville endolorie mais, pour le reste, son corps était en parfait état. Quand il avait entendu Hannah rentrer, la nuit dernière, il avait passé les deux heures qui suivaient à se tourner et à se retourner dans son lit. Il pensait à elle, l'imaginant en train de retirer la jolie petite robe qu'elle portait, puis en train d'ôter son soutien-gorge avant d'enfiler une chemise de nuit courte. Il avait aperçu ses longues jambes galbées sous cette chemise de nuit, des jambes qui étaient faites pour s'enrouler autour de la taille d'un homme. Cette pensée suffisait à le mettre en nage. Et le fait de savoir que Hannah était seule dans son lit, dans la chambre située juste au-dessus, n'arrangeait pas vraiment les choses.

Mais pourquoi donc avait-il promis de ne pas la toucher ? Il commençait à sérieusement le regretter. Il avait bien failli oublier sa promesse quand, deux jours auparavant, il l'avait trouvée sur cet escabeau et qu'il s'était tenu si près d'elle. Il lui avait fallu faire les plus gros efforts de volonté pour s'empêcher de déboucler sa salopette, de prendre chacun de ses seins au creux de ses mains et d'en porter, une à une, les pointes à sa bouche, afin de savourer son goût de femme.

Rien qu'en y pensant, il avait le cœur battant, se sentait bouillir. Il la désirait tellement, nue, sous lui, que cela en était presque douloureux. Il sentait même la douleur à cette minute précise, bon sang ! Il regarda cette jolie jupe qui virevoltait autour de ses longues jambes et se demanda combien de boutons il lui faudrait défaire pour qu'elle glisse le long de ses jambes, quel goût aurait…

« Arrête », s'ordonna-t-il. S'il continuait à avoir de telles pensées, il allait se trouver tout embarrassé lorsque Hannah entrerait dans la maison.

Il s'éloigna de la fenêtre, entendit la porte de la buanderie s'ouvrir, puis Hannah qui fredonnait doucement en passant dans le salon, un petit paquet marron sous le bras. Il la regarda poser son sac sur la table basse, puis se retourner en direction du couloir qui conduisait à sa chambre. Elle resta là un long moment, une expression pensive sur le visage, et avança un peu. Mais elle s'arrêta, se mordit la lèvre inférieure en secouant la tête.

Lorsque, se retournant, elle le vit, elle sursauta.

— Seth ! vous m'avez fait peur !

Se dirigeait-elle vers sa chambre, avant de changer d'avis ?

— Désolé. Ça vous va bien.

— Quoi ? Oh.

Elle baissa les yeux et, d'une main, lissa sa jupe.

— Merci.

Il remarqua qu'elle avait l'air fatigué, et se demanda encore une fois ce qu'elle avait fait exactement la nuit dernière, aujourd'hui, et avec qui.

« Ça ne te regarde pas », se répéta-t-il.

— Votre téléphone a sonné plusieurs fois, aujourd'hui, dit-il, décidant de maintenir la conversation sur un territoire neutre. Et le facteur m'a demandé une signature, pour une lettre. Je l'ai posée sur la table basse.

Elle jeta un coup d'œil à la lettre puis s'approcha de la table. Là, elle saisit l'enveloppe avec un petit sourire en coin.

— Merci.

Seth ne savait pas exactement à qui s'adressait ce remerciement, mais il était évident que Hannah paraissait grandement soulagée. De toute évidence, elle attendait cette lettre.

— Je vais faire le dîner, dit-elle en décachetant l'enveloppe. J'ai peut-être même une bouteille de vin dans le...

Elle s'arrêta brusquement sur le seuil de la cuisine, les yeux fixés sur la lettre.

— Il y a un problème ?

Voyant qu'elle ne bougeait pas, qu'elle restait là le dos bien droit, les épaules raides, Seth s'approcha d'elle.

— Qu'est-ce qui ne va pas, Hannah ?

— Je… Il…

Elle leva les yeux vers lui. Son soulagement avait fait place à une expression troublée. Elle ferma les yeux, puis les rouvrit, se hâtant de ranger la lettre dans son sac.

— Non, tout va bien. J'ai des steaks et des pommes de terre au four, pour ce soir, j'espère que ça vous convient. Je vais simplement faire une salade et…

— Hannah…

Il entra dans la salle à manger.

— Dites-moi ce qui ne va pas.

— Tout va très bien, je vous assure.

Elle eut un petit sourire crispé et continua.

— C'est juste que la journée a été longue, c'est tout. Si cela ne vous fait rien, je préférerais rester seule pendant quelques minutes.

Il la regarda disparaître dans la cuisine. Et il n'était pas prêt de l'y suivre. Elle voulait être seule. Il comprenait. Et il allait la laisser respirer.

Il tendit l'oreille en direction de la cuisine, mais n'entendit rien d'autre qu'un silence, profond.

« Tout cela ne te regarde en rien », se répéta-t-il encore une fois. Puis il sortit sous la véranda et regarda le soleil qui, lentement, disparaissait à l'horizon.

Hannah, debout devant la planche de travail de la cuisine, fixait l'enveloppe blanche. Le papier lui brûlait les doigts. « Il » n'avait même pas passé un coup de fil, n'avait même pas eu le courage de la préparer.

D'une main tremblante, elle sortit le chèque de son ex-mari de l'enveloppe. Ses yeux s'embuèrent à la vue du montant : cent cinquante dollars. Le regard rivé à ce chiffre, elle priait pour qu'un autre zéro apparaisse comme par magie, pour que le chiffre soudain se rapproche de la somme dont elle avait besoin pour payer les trois mois de loyer qu'elle devait à sa tante, la note d'électricité, et pour rembourser ses crédits sur lesquels elle avait déjà un mois de retard.

Mais ce chiffre était comme Brent : il ne changerait jamais. Comment avait-elle pu croire le contraire ? Elle était vraiment stupide. Cela faisait trois ans qu'il agissait ainsi, lui promettant qu'il enverrait la somme exacte dans les temps. Mais ce n'était jamais la somme exacte. Et la semaine dernière, lorsqu'elle avait menacé de le poursuivre en justice, ne lui avait-il pas assuré qu'il avait enfin conclu sa transaction immobilière, qu'il allait pouvoir rembourser les quelques mois qu'il lui devait ?

« Mais bien sûr, se dit-elle, quand les poules auront des dents. »

Elle se mordit la lèvre et battit des paupières à plusieurs reprises. Non, elle ne pleurerait pas. Non !

Enfin, cent cinquante dollars, c'était toujours mieux que rien. Elle pourrait au moins faire quelques courses et, peut-être, payer la note d'électricité.

Repoussant la lettre, Hannah, les paupières closes, sentit les larmes qui lui montaient aux yeux.

— Va au diable, Brent Michaels ! dit-elle en s'agrippant à la planche de travail.

Elle avait une boule dans la gorge ; elle fit de son mieux pour la refouler. Il ne fallait plus qu'elle y pense. Elle se sentait beaucoup trop émotive. Il fallait qu'elle s'occupe, tout irait bien. Elle devait laver les pommes de terre, couper quelques carottes…

La première larme glissa le long de sa joue et vint s'écraser sur les carreaux blancs. Elle s'essuya le visage, furieuse, mais en vain. Cette petite larme avait donné le signal des grandes eaux qu'elle semblait bien incapable de retenir.

Oh, et puis tant pis !

Dans un sanglot, elle se cacha le visage entre les mains et se laissa aller à faire une chose que jamais elle ne s'autorisait : elle se mit à pleurer.

C'est ainsi que, deux minutes plus tard, Seth la trouva. Debout devant la planche de travail, la tête dans les mains, les épaules secouées de spasmes. Il faillit sortir de la cuisine. Ne souhaitait-elle pas être seule ? De quel droit s'imposait-il ?

Il faillit tourner les talons mais un petit gémissement douloureux l'en dissuada. Discrètement, il vint se placer derrière Hannah, et chuchota :

— Hannah. Dites-moi ce qui ne va pas.

Ses épaules se voûtèrent encore et elle secoua la tête.

— Tout va bien, dit-elle entre deux sanglots.

Seth se trouvait totalement démuni devant une femme qui pleure. Il n'avait jamais été doué, n'avait jamais su quoi dire, quoi faire. Avec Hannah, cette fois-ci, cela ne faisait aucune différence. Il hésita : devait-il sortir ? Rester ? Furieux après lui-même, il attrapa une serviette en papier.

— Tenez, dit-il en agitant le mouchoir de fortune sous son nez.

— Merci, murmura-t-elle tandis qu'elle l'attrapait et séchait ses larmes. Ça va aller, je vais commencer le dîner dans…

— Oubliez donc le dîner, bon sang.

Il se passa la main dans les cheveux et continua, plus doucement.

— Je veux vous aider Hannah. Dites-moi au moins ce qui ne va pas.

Elle resta silencieuse puis, après de longues minutes, poussa un profond soupir et lui tendit l'enveloppe qu'elle avait décachetée devant lui dans la salle de séjour. Pendant qu'il la lisait, elle garda le dos tourné.

« Hannah, disait la missive, je sais que je t'avais promis un plus gros chèque, mais je ne peux pas faire mieux en ce moment. J'attends toujours ma commission sur la vente de la propriété Owen. Je devrais la recevoir d'un jour à l'autre, maintenant, chérie. En attendant le vrai chèque, voici un gage de ma bonne foi. Donne-moi encore un mois ou deux, et je te paierai tout ce que je te dois. Je t'embrasse, Brent. »

— Je suppose qu'il s'agit de votre ex-mari, dit Seth d'un ton irrité, après avoir jeté un coup d'œil au chèque.

Elle acquiesça de la tête.

— Pension alimentaire ? demanda-t-il.

Et lorsqu'elle fit de nouveau oui de la tête, il sentit sa mâchoire se crisper. Non seulement ce salaud n'envoyait pas l'argent qu'il était supposé envoyer, mais, en plus, il avait le culot d'appeler Hannah « chérie » et de lui mettre « Je t'embrasse » avant de signer. Même sans le connaître, Seth lui aurait volontiers mis son poing dans la figure.

— Il a combien de mois de retard ?

Hannah poussa un soupir et croisa les bras.

— Ça n'a pas d'importance, Seth.

— Comment, ça n'a pas d'importance ? répondit-il vivement. Bien sûr que ça en a !

Elle se tourna vers lui.

— Je vais trouver une solution.

— Et si vous n'en trouvez pas ?

Elle poussa un long et profond soupir et serra les lèvres.

— Ma tante est propriétaire de la moitié de la maison. Ou je paye mon loyer ou je lui rachète sa part. Et si je ne peux pas, il faut que je vende.

— Et vous renonceriez à vivre ici ? Vous renonceriez à vos chambres d'hôtes ?

— Parfois, on n'a pas vraiment le choix, répondit-elle les yeux rouges, d'une voix accablée.

— Vous avez le choix, dit-il en la regardant droit dans les yeux. Vous pouvez me laisser vous aider.

— Et comment ? demanda-t-elle, sourcils froncés.

— J'ai quelques milliers de...

— Non, dit-elle en secouant catégoriquement la tête, il n'en est pas question.

— Hannah, pour l'amour du ciel, vous ne pouvez pas juste...

— Non, Seth, c'est mon problème, ce n'est pas le vôtre. J'apprécie votre offre, et je vous remercie, mais je ne peux pas.

— Vous pourriez me rembourser en...

— Non.

Frustré, il la regarda d'un air furieux.

— On ne vous a jamais dit que vous étiez têtue ?

— Jamais.

Il leva les yeux au plafond et secoua la tête.

— Je n'ai jamais rencontré une femme comme vous, Hannah Michaels.

— Comme moi, dit-elle en riant, c'est-à-dire têtue, stupide, banale, ennuyeuse... ?

— C'est comme ça que vous vous voyez, demanda-t-il doucement. C'est ce que vous pensez que vous êtes, banale et ennuyeuse ?

Elle haussa les épaules, embarrassée.

— Enfin voyons, je ne suis pas exactement Julia Roberts.

C'est ce qu'elle croyait, pensa-t-il, incrédule. Elle pensait vraiment cette absurdité.

Il pouvait lui dire qu'elle avait tort, complètement tort, mais il savait qu'elle ne le croirait pas. Et puisqu'il avait fait cette fichue promesse de ne pas la toucher, il était un peu difficile de lui prouver le contraire.

— Hannah, dit-il en s'appuyant à la planche de travail et en se penchant vers la jeune femme, c'est la bêtise la plus énorme que j'ai jamais entendue.

Elle se raidit et ses joues s'empourprèrent.

— C'est vrai ? demanda-t-elle d'une petite voix crispée.

— Absolument. Il baissa encore un peu la tête vers elle et respira son léger parfum frais et fleuri. Et vous savez quoi ?

— Non ? dit-elle d'une voix à peine audible.

— Pour moi, vous êtes sans doute la femme la plus sexy que j'ai jamais rencontrée.

Elle pencha la tête en arrière et fronça les sourcils.

— Là, je sais que vous mentez.

— Je ne vous mentirais pas, Hannah. Pas à vous.

Il put lire la suspicion dans ses yeux. Mais il y avait autre chose dans ce regard. Oui, c'était du désir. Et lorsque, nerveusement, elle passa la langue sur ses lèvres, Seth se sentit bouillir.

— Vous voulez savoir à quoi je pensais quand je vous ai vue descendre de voiture, il y a quelques minutes ?

— Vous vous demandiez quel était le menu du dîner, répondit-elle doucement.

Il secoua la tête. Si elle croyait s'en sortir en faisant de l'humour…

— Je me demandais avec qui vous étiez hier soir et aujourd'hui, et je me disais qu'il avait bien de la chance, celui-là.

Ses yeux s'écarquillèrent de surprise.

— Je remplaçais Kristina Bridge à la Trail Drive Steak House. Elle y travaille comme hôtesse, elle avait besoin de quelqu'un pour assurer son service du week-end. Pourquoi pensiez-vous que j'étais avec un homme ?

— Et pourquoi n'y aurais-je pas pensé ? demanda-t-il. Une jolie femme comme vous, seule pour le week-end. Bien habillée.

— Bien habillée ? répéta-t-elle en jetant un coup d'œil à sa jupe. Mais j'ai ça depuis des lustres.

— C'est joli, commenta-t-il. Puis, s'approchant, il lui chuchota au creux de l'oreille. Je me demandais combien de boutons il faudrait que je défasse avant qu'elle glisse le long de vos longues jambes ravissantes.

— Oh ! répondit-elle, la gorge serrée, en frissonnant. Probablement cinq ou six.

Il sourit, regarda sa bouche, et murmura :

— Je me demandais aussi ce que vous portiez dessous. Du coton, tout simplement, ou de la soie...

Elle ne répondit rien mais leva les yeux vers lui, la tête en arrière. Elle avait les paupières lourdes, le souffle court et rapide. C'était Seth qui avait commencé mais, maintenant, la suite des événements dépendait d'elle. Lui n'était pas sûr de pouvoir tenir beaucoup plus longtemps.

— Hannah, dit-il d'une voix rauque, je te veux, je veux faire l'amour avec toi.

Toujours silencieuse, elle ne fit pas un mouvement vers lui. Elle le regardait, sa poitrine se soulevant au rythme de sa respiration. Allait-elle lui dire oui, bon sang ? Elle le faisait mourir, mais jamais il ne la toucherait sans son accord.

— Seth, dit-elle enfin, dans un murmure essoufflé, avant de me faire l'amour, vous croyez que, d'abord, vous pourriez m'embrasser ?

8.

Hannah n'avait, de sa vie, jamais demandé à un homme de l'embrasser, encore moins de lui faire l'amour. Et bien qu'elle trouvât l'idée très gênante, les paroles étaient venues toutes seules.

Oui, elle voulait que Seth l'embrasse, la touche, lui fasse l'amour. Elle le voulait désespérément, avec une telle force qu'elle en était choquée.

Elle posa les mains sur lui, sentit ses muscles fermes frémir sous ses mains. Il lui jeta un regard de braise.

— Embrasse-moi, dit-elle enfin.

Elle agrippa son T-shirt et l'attira encore plus près d'elle en répétant :

— Embrasse-moi.

Alors, il la prit dans les bras et posa les lèvres sur sa bouche. Hannah se pressa tout contre lui. Plus près, encore plus près. N'était-ce pas merveilleux d'être là, enlacée par lui ? De se blottir contre ce grand corps musclé ? De respirer l'odeur masculine de sa peau ? De sentir ce goût de menthe et de chocolat dans sa bouche ? Un bouquet de sensations qui lui faisaient tourner la tête, battre le cœur.

Elle encercla de ses bras le cou de Seth. Sa bouche s'ouvrit naturellement au baiser — un baiser tendre mais exigeant, qui devint profond et passionné. Hannah frissonnait, son corps se tendait de désir et, ce qu'elle éprouvait en ce moment, jamais, auparavant, elle ne l'avait connu. Elle voulait Seth ; elle voulait ses mains sur son corps, partout, longtemps ! Oui, qu'il la caresse partout. Ebahie par sa propre audace, elle prenait conscience que, elle aussi, elle voulait le caresser partout.

Il cessa un instant de l'embrasser pour murmurer, haletant :

— Hannah, viens dans ma chambre, viens dans mon lit.

Elle consentit d'un battement de cils. Alors, Seth lui embrassa la main et de nouveau :

— Dis-le, dis-moi que tu veux faire l'amour avec moi, que tu veux ce qui va se passer… Je veux que tu sois sûre.

— J'en suis sûre, Seth.

Elle frissonna au contact de sa bouche sur sa main, de ses dents qui lui mordillaient sensuellement les doigts. Tout son corps était comme électrisé.

— Je te désire, poursuivit-elle. Je veux faire l'amour avec toi.

Le couloir qui menait à sa chambre n'était pas un long couloir ; pourtant, Hannah eut l'impression de faire le plus long voyage de sa vie. Au fur et à mesure qu'ils approchaient, la logique et la raison semblaient lui envoyer des signaux. Devinant son incertitude, Seth l'embrassa, lui murmura des mots que jamais un homme ne lui avait dits, des mots qui la faisaient rougir, l'excitaient, la transportaient : ce qu'il voulait lui faire, combien elle était belle, sexy…

Le plus étonnant, c'est qu'elle croyait chacune de ses paroles : elle se sentait belle, elle se sentait sexy. Elle voulait qu'il lui fasse toutes ces sortes de choses, et elle aussi voulait lui faire toutes ces sortes de choses qu'elle n'avait jamais faites avant.

La chambre était baignée de la lumière du coucher de soleil. Seth ferma la porte derrière lui et conduisit Hannah jusqu'au lit sans cesser de l'embrasser.

Lorsqu'ils furent arrivés, elle s'agrippa à lui, se hissa sur la pointe des pieds pour mieux se lover contre lui. Elle fit glisser ses mains jusqu'au bas de son dos, les posa sur ses fesses. Alors, il la prit follement dans ses bras, et elle s'embrasa.

A présent, il lui dévorait le cou de baisers. Elle rejeta la tête en arrière pour l'accompagner dans ses caresses et elle frissonna en sentant son souffle chaud sur sa joue, frémit lorsqu'il se mit à lui mordiller le lobe de l'oreille, et ne put retenir un gémissement quand, de la langue, il traça de sensuelles arabesques.

Leurs souffles haletants se mêlaient, Hannah se pressait contre Seth, toujours plus et toujours plus fort. Impossible de ne pas sentir comme il la désirait, maintenant : il était prêt, aussi prêt qu'elle-même l'était. Cependant, il semblait vouloir prendre son temps, ce qui l'excitait autant que cela la frustrait.

Voilà donc pourquoi on chuchotait sur les délices de la sexualité, songea vaguement Hannah. Elle avait entendu les fous rires de femmes qu'elle connaissait, Lori et Phoebe, et reçu leurs confidences intimes. Jusque-là, jamais elle n'y avait vraiment cru, jamais elle n'avait connu l'extase. Elle n'avait pas eu à se plaindre, mais jamais elle n'avait ressenti l'émoi que décrivait ses amies et qu'elle-même éprouvait en ce moment : comme si chaque cellule de son corps vibrait de désir.

La bouche et les mains de Seth — magiques, incroyables — avaient réveillé tous ses sens. Elle avait glissé les mains sous son T-shirt, et sentait sa peau ferme et souple sous ses doigts, la toison soyeuse de son torse. Insatiables, ses mains se livraient à une impatiente exploration. Quand Seth la regarda dans les yeux, elle prit son visage à deux mains, et la légère griffure de sa barbe la fit tressaillir des pieds à la tête.

— Seth, chuchota-t-elle, qu'est-ce que tu es en train de me faire ?

— Tu ne vois pas ? Alors, c'est que je ne sais pas m'y prendre.

Sa voix était lourde de passion, son regard intense.

— Non, tu t'y prends très bien.

Elle noua les bras autour de son cou et l'embrassa.

— Vraiment, tu t'y prends très bien.

Il l'embrassa profondément, passionnément, lui caressant les hanches, emprisonnant leurs courbes de ses mains. Ses doigts trouvèrent les boutons de sa jupe, firent sauter le premier, puis les suivants. Elle tomba en corolle aux pieds de Hannah.

— Quatre, chuchota-t-il.

— Quatre ?

— J'ai dû défaire quatre boutons, avant de t'enlever ta jupe. Et, dessous, tu portes de la soie, dit-il tout en la caressant.

— Le mystère est donc éclairci.

Elle frissonna quand elle sentit les grandes mains de Seth se promener sur ses cuisses, ses fesses. Il s'enhardissait, à présent, s'aventurait plus loin, et lui donnait envie de lui rendre la pareille.

— C'est mon tour, maintenant, murmura-t-elle.

Elle lui retira son T-shirt. Pleine d'audace, elle posa les mains sur son torse et pressa ses lèvres contre la peau tendre et chaude, tandis que la soie de la toison lui chatouillait les narines et les joues. Lorsque, effrontément, elle lui caressa la poitrine de sa langue, il retint son souffle, puis vint enfouir les doigts dans ses cheveux défaits. Il lui inclina délicatement la tête, puis l'embrassa d'un baiser qui la fit chavirer.

Ils roulèrent dans le creux accueillant du matelas. Il faisait de plus en plus sombre, mais on y voyait encore. Hannah recula un peu, se délectant de regarder Seth : son grand corps vigoureux, qui l'avait tout d'abord intimidée, suscitait en elle toutes sortes d'envies.

Lorsqu'elle tendit la main pour défaire la fermeture Eclair de son jean, elle frôla la peau chaude et soyeuse de son ventre. Elle descendit lentement la glissière et plongea dans le regard sombre et intense de Seth.

— Attends, dit-il en couvrant sa main de la sienne.

Etonnée, elle le regarda s'éloigner un peu, fouiller dans son sac de voyage. Puis il se rassit à côté d'elle, après avoir posé une petite boîte sur la table de nuit.

Protection...

Hannah ferma les yeux, puis posa sa tête sur sa poitrine.

— Merci, murmura-t-elle. J'avais oublié.

— Tant mieux.

Il lui encadra le visage de ses mains et, frôlant ses lèvres de la bouche, il murmura :

— Je veux que tu oublies tout.

Dès qu'il la coucha sous lui, dès qu'il l'embrassa de nouveau, le miracle eut lieu : elle oublia tout. Elle ne pouvait plus penser, pouvait à peine respirer. Il était en train de l'embrasser avec toute sa passion, et pourtant ce n'était pas assez, elle voulait plus.

Il se fit un plaisir de la satisfaire. Sa bouche descendit le long de son cou, tandis que ses mains remontaient sur ses cuisses, jusqu'à son ventre. Lentement il tira sur son petit haut et le lui enleva.

Il la contemplait, maintenant, les yeux assombris de désir. Du doigt, il parcourut lentement le dessin de dentelle de son soutien-gorge, la faisant frissonner d'anticipation.

— Comme tu es belle, murmura-t-il.

Lorsqu'il posa les lèvres sur sa peau, elle retint son souffle. Il suivit le chemin qu'avaient tracé ses mains, tout en la caressant pour venir trouver ses seins et les emprisonner. Hannah frémit, son cœur battait à se rompre. Elle aurait voulu lui dire : « Vite, viens vite... » mais semblait incapable de prononcer un mot. Elle se plaignit doucement, lui griffa le dos des ses ongles, puis enfoui les mains dans la masse de ses cheveux.

D'un geste habile, il dégrafa son soutien-gorge. Elle le sentit prendre la pointe délicate de son sein dans sa bouche, et se cambra à la rencontre du plaisir. Seth la caressait de sa langue chaude et mouillée. Grisée, elle enfonça les doigts plus profondément encore dans ses cheveux. Et tandis que, de ses mains expertes il parcourait son corps, il continuait de la torturer avec sa bouche, avec sa langue, la transformant en brasier incandescent. Entre ses jambes, au creux de son ventre, le désir perlait, insoutenable.

Elle était vraiment au septième ciel. Pouvait-on en mourir ? Seth glissa la main sous son slip, chercha les plis secrets de son intimité. Alors, elle comprit que, oui, en quelque sorte, on pouvait en mourir. Ivre de volupté, elle supplia :

— Seth... je t'en prie.

Il recula légèrement, fit tomber son jean et son caleçon à terre, puis, debout au pied du lit, prit le temps de la regarder. Il se pencha, lui retira son slip, s'avança entre ses jambes. Là, il plongea dans ses yeux, et se glissa en elle.

Ce fut un moment de joie pure. Tendue comme un arc, Hannah savoura chaque seconde de ce premier élan. Puis, déjà impatiente, elle se souleva à la rencontre de Seth. Il se mit à bouger en elle, encore et encore, la menant au bout de son souffle, lui arrachant mille soupirs et autant de plaintes. Mon Dieu, elle se sentait comme embrasée. Le feu de sa passion la brûlait de plus en plus fort, et elle ne contrôlait plus rien.

Le monde chavira en même temps que son corps explosait de plaisir. Elle s'entendit crier de bonheur tandis que des vagues de jouissance l'emportaient loin de tout, sur des rivages inconnus. Tout à fait ivre, elle s'agrippa comme une noyée aux larges épaules de Seth, puis, elle l'entraîna avec elle. Alors, il la rejoignit dans le même néant éblouissant.

Elle était lovée contre lui et il la tenait serrée. Juste après leur étreinte, comblée et épuisée, elle s'était endormie. Seth écoutait sa respiration, douce et régulière, sentait le battement de son pouls. Il posa un baiser léger sur son épaule nue, puis se glissa hors du lit et, délicatement, la recouvrit. Elle remua, poussa un soupir, mais ne se réveilla pas.

La lumière du clair de lune baignait la pièce d'une atmosphère de photo en noir et blanc. Seth attrapa son jean et l'enfila, puis il remit son T-shirt. Debout à côté du lit, il regarda Hannah. Ses cheveux blonds s'étalaient sur l'oreiller. Un doux sourire flottait sur ses lèvres encore toutes gonflées de baisers.

Il sentit le désir monter en lui de nouveau. Non, il devait la laisser dormir. Dieu sait qu'elle en avait besoin.

Et lui, de quoi avait-il besoin, de quoi avait-il envie ? Il la désirait, il n'y avait aucun doute ; et maintenant qu'ils avaient fait l'amour, il la désirait même plus qu'avant. Mais... il ne se sentait plus maître de lui, et n'aimait pas trop ça.

Il avait fait l'amour avec beaucoup de femmes, il avait toujours apprécié les plaisirs... Seulement, jusqu'à aujourd'hui, aucune ne lui avait fait oublier où il était, qui il était. Tandis qu'avec Hannah il se sentait… déphasé. Impossible de nier que cela le perturbait.

Il sortit de la chambre sans faire de bruit et se dirigea vers la cuisine. Il savait qu'elle aurait faim en se réveillant et son propre estomac commençait à gargouiller. Il n'était pas un grand cuisinier, mais il devait bien être capable de concocter un petit quelque chose.

N'avait-elle pas dit qu'elle avait acheté des steaks pour le dîner ? Ah, ils étaient toujours sur la planche de travail, dans leur papier d'emballage, à côté de la lettre de son ex.

Seth prit la fameuse lettre et, les sourcils froncés, l'examina de nouveau. *Agence Immobilière Michaels*, disait l'en-tête. *Brent Michaels, propriétaire et promoteur. Four Oaks. Texas.*

Seth savait que Four Oaks n'était qu'à deux heures d'ici. Alors pourquoi ce sale type ne venait-il pas voir ses filles ? Pourquoi n'était-ce pas lui qui les emmenait camper ? Dernière question, sans doute la plus importante, pourquoi diable ne vivait-il plus ici, avec sa famille ?

Seth pensa aux jumelles : deux petites filles ravissantes, merveilleuses. Comment un homme pouvait-il quitter ses propres enfants ? Cinq minutes tout seul avec Brent Michaels, c'est tout ce qu'il voulait, se dit Seth en remettant la lettre dans son enveloppe. Cinq minutes, juste pour lui « parler ».

Hannah ne voulait peut-être pas de son aide financière, mais il savait qu'il y avait d'autres moyens de l'aider. Et, s'il jouait bien ses cartes, elle n'aurait sans doute jamais vent de son intervention.

— Salut.

Il se retourna en entendant sa voix. Elle était debout sur le seuil, le regardant, les mains derrière le dos. Elle avait remis sa jupe et son haut, mais il pouvait voir qu'elle ne portait pas de soutien-gorge. Il se sentit envahi d'une bouffée de désir, et réprima sa première impulsion qui aurait été de la ramener immédiatement au lit. Bon sang, il pouvait se contrôler, il devait se contrôler.

— Salut !

Il sortit un verre à vin du placard et le remplit. En s'approchant d'elle, il put lire une lueur d'hésitation dans ses yeux et vit ses joues empourprées. Surtout ne pas lui laisser le temps de penser. Il l'attira à lui, posa la bouche sur la sienne et l'embrassa passionnément, profondément, longuement.

Lorsqu'il se détacha d'elle, elle dut se retenir au montant de la porte pour reprendre son équilibre.

— Tu devrais être en train de dormir, dit-il en lui tendant le vin.

Les lèvres encore humides de son baiser, elle but une gorgée puis rendit le verre à Seth.

— Si je dormais dix minutes de plus, je ne trouverais plus le sommeil ce soir.

— Eh bien, j'ai une bonne nouvelle, chérie, répondit-il en l'attirant vers lui, un petit sourire en coin. Il n'est pas prévu que tu dormes ce soir.

Ses lèvres frôlèrent celles de la jeune femme. Elle avait la main tremblante lorsque, avant de s'écarter, il lui redonna le verre. S'il l'embrassait comme il en rêvait, en moins de deux secondes, ils seraient dans la chambre.

Lorsqu'il alluma le gril, elle s'approcha.

— Attends, je peux...

— Toi...

Il pointa un doigt vers elle.

— ... tu t'assieds. C'est moi qui te fais à dîner.

— Laisse-moi au moins...

— Hannah, assieds-toi.

Elle pinça les lèvres et, avec raideur, elle s'assit sur une chaise. Deux fois, elle fit mine de se lever, mais deux fois, silencieusement, il la rappela à l'ordre.

Hannah, qui avait besoin de s'occuper les mains, sirotait le vin que Seth lui avait donné. Elle ne buvait pas souvent mais, si un moment lui semblait indiqué pour boire, c'était bien maintenant. Elle avait encore le vertige d'avoir fait l'amour avec Seth et, même si le fait d'être assise là sans rien faire la rendait folle, elle avait l'impression que, si elle se levait, ses jambes allaient se dérober.

Elle le regardait donc s'affairer maladroitement dans la cuisine, se mordant les lèvres pour se retenir de lui faire des suggestions ou de lui proposer son aide. Elle eut une grimace de douleur lorsqu'elle le vit se brûler en cuisinant les steaks. Mais il persistait à vouloir tout faire tout seul, et lui jeta un regard exaspéré lorsqu'elle lui conseilla de se passer la main sous l'eau froide.

Quand il posa une assiette garnie devant elle, elle resta immobile à contempler la nourriture. Un homme aux petits soins pour elle qui lui préparait à dîner ? C'était pour elle une expérience complètement nouvelle. C'était à la fois... bizarre et merveilleux.

Mais ce n'était pas la seule chose qui lui semblait totalement nouvelle. Elle frissonna en repensant à la façon dont il lui avait fait l'amour. Il s'était montré à la fois tendre et passionné. Son goût, son odeur, s'attardaient encore sur sa peau brûlante de ses caresses.

Elle sentit sa gorge se serrer, ses yeux s'embuèrent de larmes. Elle but une gorgée et détourna le regard pour chasser ses larmes : elle était une femme mûre. Son comportement était puéril, stupide, il n'y avait vraiment pas lieu de se laisser aller à pleurer.

— Hannah ? Qu'est-ce qui ne va pas ? s'enquit Seth, les sourcils froncés.

Il s'agenouilla à côté d'elle.

— On peut commander une pizza, si c'est si mauvais, dit-il. Tu préfères des œufs ? Je sais faire les œufs. Si tu aimes les œufs brouillés, au moins.

— Ce n'est pas la nourriture, Seth, répondit-elle en secouant la tête, c'est moi.

— Quoi, toi ?

Elle lui sourit, lui caressa la joue. Un petit frisson la parcourut, comme chaque fois qu'elle le touchait.

— Toi… Moi…

Elle hésita.

— Quand on fait l'amour, j'ai l'impression que c'est la toute première…

Elle ne pouvait pas le dire, c'était trop embarrassant. Elle retira sa main et détourna les yeux : il allait encore la taquiner, rire.

— Hannah…

Il lui attrapa le bras et la tira de sa chaise, puis s'y assit et l'installa sur ses genoux.

— Tu as vingt-six ans, tu as été mariée, tu as des enfants… et ce que tu es en train de me dire, c'est que tu n'as jamais…

Non, elle ne supportait pas d'entendre ces mots-là, de sa bouche non plus…

— Je n'ai jamais…, reprit-elle avec difficulté.

— Regarde-moi.

Elle se sentit profondément soulagée que les yeux de Seth n'expriment ni moquerie ni condescendance — simplement de l'étonnement. Elle sentit son corps se détendre et se laissa aller dans les bras de son compagnon.

— Quel genre d'homme te servait donc de mari ? demanda-t-il. Et pourquoi l'as-tu épousé ?

Hannah répondit par un haussement d'épaules et, caressant le torse vigoureux de Seth, elle se laissa aller à profiter de l'intimité du moment.

— Quand j'étais au lycée, ma mère était malade, dit-elle paisiblement. Comme mon père était mort, je devais m'occuper d'elle. Je n'avais donc pas l'expérience des autres jeunes : pas de boums, pas de petit copain, pas d'activités.

— Donc, ton ex et toi, vous vous êtes connus au lycée ?

Elle sourit.

— Non, j'ai rencontré Brent un an après avoir passé mon bac, trois mois après la mort de ma mère. Il venait de quitter Dallas et avait monté un ensemble immobilier privé pour la société qui l'employait à l'époque. C'était l'image même du commercial, charmant, beau, attentionné, entreprenant. J'ai craqué. Il ne m'a épousée que pour tromper l'ennui. Il faut croire que je l'ai déçu.

Seth la serra plus fort contre lui.

— Hannah, je t'en prie, arrête de parler comme ça. Tu es sexy, tu es belle, et en plus tu es une super maman. Si ce type n'était pas capable de voir ça, c'est un imbécile, un parfait idiot.

Elle posa la tête sur son épaule.

— Pendant longtemps, je me suis crue responsable de notre échec. Je n'étais pas assez jolie, pas assez raffinée, pas assez sexy. Quand il a commencé à voyager de plus en plus, à rentrer de plus en plus tard, j'ai compris qu'il me trompait. Ça m'a fait mal, très mal, mais finalement, entre la maison, les jumelles et mon travail à mi-temps, je me suis consolée de ses absences. Et puis, le sexe ne m'avait jamais vraiment intéressée, et j'ai été plutôt soulagée de voir mon mari s'éloigner de moi. Quand, finalement, il est parti, j'avais atteint un degré d'indifférence totale. J'avais les filles et c'était tout ce qui comptait. C'est toujours tout ce qui compte.

Elle leva la tête et lui sourit.

— Mais maintenant que tu m'as éclairée sur certains aspects de la vie que j'avais négligés, il va falloir que je fasse quelques mises au point. Peut-être trouver un peu de temps pour plaire.

Il fronça les sourcils. A qui voulait-elle plaire, en dehors de lui ?

— Ne te laisse pas approcher par n'importe qui.

— Penses-tu, répondit-elle, taquine . Juste un petit rendez-vous le vendredi soir, par-ci...

Il ne la laissa pas finir. Avant qu'elle ait achevé sa phrase, il l'interrompait d'un baiser possessif. C'était un baiser violent, aussi intense qu'affamé. Alors, de nouveau, elle eut une folle envie de lui.

— Fais-moi l'amour, Seth, dit-elle lorsque sa bouche abandonna la sienne.

— Tant que tu voudras, ma chérie, répondit-il dans un murmure passionné.

Mais lorsqu'elle se pencha vers lui, il la retint.

— Avant, il faut que tu manges, tu vas avoir besoin de toutes tes forces, ce soir.

— Oh ? répondit-elle calmement. Et pourquoi ça ?

Il se pencha et, dans le creux de l'oreille, lui chuchota ce qu'il avait l'intention de lui faire. Ses mots sensuels la firent frissonner d'anticipation. Elle s'assit alors devant son assiette. Elle avait hâte qu'ils finissent de dîner.

*
* *

Le dimanche matin arriva beaucoup trop vite. Hannah dormait paisiblement sur le ventre, pelotonnée sous les draps, le visage à moitié enfoui dans l'oreiller moelleux. Allongé sur un côté, le menton dans la main, Seth regardait ses épaules se soulever doucement, au rythme de sa respiration. Seigneur, comme il avait envie d'embrasser cette peau nue, de glisser sa main sous les draps et de descendre jusqu'à la douce rondeur de ses fesses, envie de la réveiller et de lui faire bien d'autres choses encore.

Mais pour le moment, le simple fait de la regarder dormir le satisfaisait amplement.

De plus, après la nuit qu'ils venaient de passer, elle avait bien besoin de sommeil. Les jumelles ne rentraient que beaucoup plus tard dans la soirée. Ils avaient donc toute la journée devant eux pour faire exactement ce qui leur plaisait. Et ce, dans une belle et grande maison, se dit-il en souriant.

Elle s'agita et, dans un bruissement de draps, se retourna sur le dos. Elle battit des cils et sembla, l'espace d'un instant, désorientée. Puis ses yeux s'ouvrirent et elle le regarda.

— Bonjour, dit-il.

— Ce n'était donc pas un rêve ?

Sa voix ensommeillée l'enflamma. Il lui fit un sourire, baissa la tête vers elle et l'embrassa. Elle lui sourit en retour et, s'étirant, lui passa les bras autour du cou et l'attira tout contre elle.

Le baiser se fit plus intense. Pressant, gourmand. Seth repoussa le drap, découvrant le corps nu de Hannah. Elle enroula ses longues jambes fuselées autour de sa taille, le provoquant, l'excitant. Alors, il se glissa en elle dans un gémissement rauque. Il entendait les battements de son propre cœur résonner dans ses tempes. Comme c'était bon, de se perdre dans cette intimité accueillante, de serrer ce corps satiné, de s'enivrer de son odeur féminine et veloutée, et d'entendre ses petits gémissements. Tout en elle l'excitait, le rendait fou d'un désir que jamais, par le passé, il n'avait connu.

— Hannah, dit-il, ouvre les yeux.

Le dos cambré, les joues empourprées, les yeux fermés, elle semblait complètement perdue, voguant sur un océan de passion.

— Ouvre les yeux, répéta-t-il, regarde-moi.

Ses paupières se soulevèrent délicatement. Ses yeux étaient voilés par la volupté. Il caressa son ventre lisse et ferme et prit ses seins entre ses mains, laissant courir ses pouces sur les pointes roses. Ses yeux bleus s'assombrirent, elle retint sa respiration, se mordit la lèvre. Quand il baissa la tête pour saisir l'une des pointes dans sa bouche, elle lui passa les mains dans les cheveux et murmura dans un souffle :

— Seth, maintenant, je t'en prie, maintenant.

A cet appel, il perdit tout contrôle de lui-même. Il s'enfonça plus profondément en elle, sentant son corps frissonner. Lui-même frémit aussi. Et lorsque, ensemble, ils sombrèrent, il la serra très fort contre lui.

Plusieurs minutes s'écoulèrent avant qu'il ne roule à côté d'elle, l'enlaçant de nouveau. Elle posa sa joue sur son torse et, comblée, se blottit au creux de son bras.

— Peut-être ne bougerai-je plus jamais d'ici, murmura-t-elle.

Il sourit.

— On parie ?

— Inutile.

Il l'embrassa sur la tempe, puis sur l'oreille.

— Je suggère qu'on reste nus toute la journée.

— Et le déjeuner ? dit-elle en dessinant des spirales sur son torse. L'un de nous doit se lever pour le préparer.

— On peut commander des pizzas qu'ils déposeront devant la porte.

— Des pizzas pour le petit déjeuner ?

— C'est la denrée de base du célibataire. Avec le chili en boîte.

Pendant un long moment, elle resta silencieuse, promenant toujours les doigts sur sa poitrine. Elle finit par demander :

— Pourquoi n'es-tu pas marié ?

Il marqua une pause. C'était une question simple. Pourquoi mettait-il tant de temps à répondre ? Elle lui avait tout donné, son corps, son âme, et, au risque de se perdre, son cœur. Cela faisait mal de voir que, pour lui, se confier même un tout petit peu, lui dire qui il était et pourquoi, c'était si difficile. Elle fit mine de se lever mais, la serrant encore plus fort contre lui, il la retint.

— Je suis flic, dit-il posément. Un flic qui a des horaires de bureau, cinq jours par semaine, ce n'est déjà pas idéal pour un mariage ; mais un flic, comme moi, qui ne fait que des missions secrètes, peut être amené à disparaître pendant des jours, des semaines, sans parfois pouvoir dire à quiconque où il est. Parfois c'est dangereux, quoique la plupart du temps, il s'agisse juste d'attendre, assis dans un bar sordide, ou de traîner dans les rues pour essayer de gagner la confiance de quelqu'un qui ne correspondrait pas vraiment à l'idée que tu te fais du citoyen modèle. J'ai eu des petites amies, j'ai même vécu avec une femme. Mais ça n'a pas marché.

Hannah sentit un petit pincement de jalousie. Mais elle n'avait pas à éprouver d'amertume. Il était bien évident que Seth en avait eu plusieurs, de toute façon.

Et les conquêtes de Seth, c'était bien la dernière chose dont elle avait envie de parler pour le moment. Sa main remonta le long du bras musclé de son compagnon, jusqu'à son menton mal rasé dont elle dessina les contours.

— Et ta famille ? Tes parents ne se font pas de souci pour toi ?

— J'ai perdu mon père quand j'étais adolescent, répondit Seth, calmement. Il était dans la brigade mondaine et il a été tué en mission.

— Et maintenant, tu es flic, constata Hannah en secouant la tête. Je peux juste m'imaginer combien ta mère doit s'inquiéter pour toi.

— Elle s'inquièterait si elle le savait. Elle croit que je suis dans la police de la route. Elle a pris sa retraite il y a quelques années et elle s'est installée en Floride.

— Et ton frère et ta sœur ? demanda-t-elle, prudemment, tu disais que tu ne savais pas où ils étaient.

Elle sentit qu'il se raidissait. De toute évidence, sa question ne lui plaisait pas.

— Je suis désolée, dit-elle en s'asseyant. Elle remonta les draps sur elle et se poussa vers le bord du lit. Je suis indiscrète. Je vais préparer le petit…

— Hannah,…

Il la prit par le bras et il la ramena doucement vers lui.

— Viens là.

— Je t'assure Seth, je ne voulais pas…

— Hannah, écoute-moi, veux-tu ?

Il s'assit dans le lit et l'attira contre lui. Après un long moment, il soupira :

— J'ai été adopté. Mes vrais parents sont morts quand j'avais sept ans.

— Oh, Seth...

Elle posa la main sur son torse.

— ... Je suis vraiment désolée.

Il caressa ses cheveux pour lui dégager le visage.

— J'habitais dans un petit ranch à la sortie de Wolf River avec mes parents, mon grand frère Rand et ma petite sœur Elizabeth.

Il fit une pause, mais Hannah resta silencieuse, attendant qu'il poursuive.

— Je ne me souviens pas de la nuit où c'est arrivé. Tout ce que je sais, c'est ce que mes parents adoptifs m'ont dit : un jour que nous rentrions au ranch par une nuit d'orage...

Sa voix se fit lointaine.

— ... Un éclair a frappé la route juste en face de nous, la voiture a fait une embardée, elle est tombée dans un ravin où elle a fait plusieurs tonneaux.

Hannah ferma les yeux et se sentit submergée par une vague de tristesse et de désespoir. Elle connaissait la douleur de perdre des êtres aimés. Elle était tellement petite quand, à sept ans, elle s'était elle-même retrouvée orpheline.

— J'avais une contusion et une clavicule cassée mais, dans l'ensemble, j'allais plutôt bien. Je n'ai qu'un très vague souvenir de ce qui s'est passé les jours suivants. En un clin d'œil, je me suis soudain retrouvé avec une nouvelle maison, une nouvelle famille, un nouveau nom.

Elle s'assit et le regarda perplexe.

— On t'a séparé de ton frère et de ta sœur ?

— On m'a dit qu'ils étaient morts dans l'accident qui avait coûté la vie à mes parents. Et c'est ce que j'ai cru pendant les vingt-trois années qui ont suivi.

Il se passa la main dans les cheveux.

— Puis, il y a deux semaines, j'ai reçu une lettre d'un avocat de Wolf River me disant que Rand et Lizzie n'étaient pas morts. Qu'eux aussi avaient été adoptés.

— Mais qui a pu te faire croire quelque chose d'aussi horrible ? Et pourquoi ?

Son poing se serra sur les draps. Comment pouvait-on se montrer aussi cruel ?

— C'est ce que je suis venu découvrir. Le notaire qui m'a contacté m'a dit qu'il m'expliquerait tout quand j'arriverais à Wolf River.

— Oh, Seth, dit Hannah en soupirant. Dire que tu serais déjà là-bas si tu ne t'étais pas arrêté pour sauver Maddie…

— Hannah, regarde-moi, dit-il.

Il l'obligea à lever les yeux vers lui, puis lui dit :

— Je ne changerais rien à ce qui m'est arrivé depuis que je suis ici, pas un détail, tu as compris ?

— Même l'article dans le journal ?

Il fronça les sourcils.

— D'accord, ça, peut-être. Mais c'est tout.

— C'est vrai ?

— Oui, c'est vrai.

Elle sourit et, se penchant vers lui, posa ses lèvres sur les siennes, s'attarda un instant, puis s'éloigna, le regard pensif.

— Tu t'appelais comment avant que les Granger ne t'adoptent ?

— Blackhawk. Ça fait bien longtemps et pourtant je ne les ai jamais oubliés : mes parents, Rand et Lizzie. J'aimais les Granger, ils ont été de bons parents, mais je sentais toujours que quelque chose me manquait. Ce n'était pas vraiment ça.

— Peut-être que, instinctivement, tu savais que ton frère et ta sœur n'étaient pas morts.

— Peut-être, répondit-il en haussant les épaules. Je verrai ce que l'avocat a à dire quand j'arriverai à Wolf River. Pour le moment, ce que j'ai en tête, c'est une femme qui s'appelle Julia.

Il sourit et l'attira dans ses bras.

— Vraiment ?

Elle se dégagea et se glissa hors du lit, ramassa le T-shirt blanc de Seth sur le sol.

— Julia qui ?

— Julia Roberts.

Elle enfila le T-shirt en souriant, avant de s'esquiver alors qu'il tentait de l'attraper.

— Eh bien, moi, c'est George que j'ai dans la tête.

Il repoussa les draps et attrapa son jean, une lueur malicieuse dans l'œil.

— Ah oui ? George qui ?

— Tu sais bien, George ! dit-elle en reculant vers la porte sans le quitter du regard.

Il enfila son jean avant de se ruer sur elle.

— George, le singe du dessin animé ?

Il leva un sourcil, puis sourit en venant vers elle en imitant le personnage en question. Quand il attrapa Hannah, elle éclata de rire, fit volte-face, et se précipita dans le couloir, Seth à ses trousses. Il se saisit d'elle avant qu'elle n'atteigne le bas de l'escalier, et l'enlaça, la chatouillant. Elle cria, se débattit, voulant lui échapper, mais il la serrait fort.

Elle riait encore quand il l'embrassa voracement. Elle lui rendit son baiser, et tout se mit à tourner. Et au moment où, debout sur la pointe des pieds, l'attirant plus près, elle s'apprêtait à lui suggérer qu'ils regagnent la chambre, elle entendit un petit bruit métallique qui venait de la porte d'entrée.

Elle s'arracha aux bras de Seth, et se retourna sur la porte qui s'ouvrait.

Seigneur ! Les yeux écarquillés, la bouche ouverte, Hannah se figea : sa tante était là, qui exprimait l'état de choc le plus total.

9.

Seul dans la cuisine, une tasse de café noir à la main, debout devant la fenêtre ouverte, Seth regardait Mme Peterson qui était en train de tailler ses rosiers, tandis que Beau lézardait au soleil, occupé à ronger un os énorme. Le cliquetis régulier du sécateur accompagné du ronflement lointain d'une tondeuse à gazon, emplissaient l'air chaud, parfumé d'une odeur d'herbe fraîchement coupée.

Cela aurait pu être un dimanche matin idéal. Hélas, la voix dure, stridente de tante Martha qui, dans le salon, était en train de sermonner sévèrement sa nièce, venait troubler cette harmonie dominicale.

Tante Martha avait eu l'air tellement horrifié lorsque, une demi-heure auparavant, elle avait fait irruption par la porte d'entrée, que cela en était presque risible. Mais, de toute évidence, Hannah n'avait rien trouvé de drôle à la situation compromettante dans laquelle sa tante les avait surpris. Le souffle coupé, elle s'était mise à trembler dans ses bras. La jeune femme ne s'attendait évidemment pas à cette visite.

Quant à tante Martha, manifestement, elle ne s'attendait pas à trouver sa nièce en haut de l'escalier, en tenue légère, dans les bras d'un étranger, torse nu.

En un clin d'œil, son visage, blanc comme le linge, avait viré au cramoisi, un contraste étonnant avec la très chic robe fourreau couleur chocolat qui lui moulait le corps. C'était une femme séduisante, d'une soixantaine d'années, probablement. Elle portait ses cheveux argentés court, à la mode, était minutieusement maquillée, et ses ongles longs étaient vernis d'une teinte bronze, assortie à son rouge à lèvres. La main figée sur la poignée de la porte, elle les avait regardés, ne pouvant en croire ses yeux écarquillés.

Hannah avait réagi la première. Fébrile, elle avait bafouillé sa surprise de voir sa tante, puis avait fait une tentative de présentations, pour finir par se précipiter dans l'escalier. Tante Martha, les lèvres pincées, avait tourné ses yeux noirs et perçants vers lui, l'avait jaugé des pieds à la tête puis, refermant la porte derrière elle, s'était, sans un mot, dirigée vers le salon.

Il ne fallait pas être un génie pour deviner qu'aucune des deux femmes ne souhaitait sa présence à cette minute précise. Il s'était fait violence, mais il avait résisté à la tentation de suivre Hannah dans l'escalier. Au lieu de cela, il était reparti dans sa chambre et avait enfilé un T-shirt et des tennis avant de se diriger vers la cuisine pour se faire du café.

Certains disent que la musique adoucit les mœurs. Pour sa part, c'est le café noir et fort qui avait cet effet sur lui. Mais cette fois-ci, le breuvage ne lui faisait rien : il se sentait des pulsions sauvages. Il lui était insupportable d'entendre des bribes de ce que tante Martha était en train de dire à Hannah : *irresponsable, mœurs légères, indécente...*, pour ne citer que quelques-uns des mots qui s'échappaient de sa bouche. Insupportable, aussi, d'écouter Hannah répondre, soumise, aux vertes réprimandes de sa tante. Au fur et à mesure que les minutes passaient, il se sentait bouillir d'une colère de plus en plus noire.

— ... Ta conduite inexcusable..., poursuivait-elle, dans l'autre pièce.

Sa main se resserra sur sa tasse ; il sentit un muscle se contracter dans sa mâchoire. Il fallait qu'il sorte de la maison, sinon il allait faire une bêtise. Il brûlait d'envie de dire ses quatre vérités à cette harpie, tout en sachant que son intervention n'aurait fait qu'aggraver la situation.

Il allait donc s'esquiver par la porte de la buanderie. Il fit volte-face, et s'avança vers la porte donnant sur le couloir. La voix furieuse de tante Martha le pourchassait.

— J'ai fait preuve d'une patience d'ange, à ton égard, était-elle en train de dire sèchement. T'accorder un délai de trois mois, c'était plus que généreux de ma part. Si tu n'arrives même pas à être ponctuelle sur un seul paiement de ta part de loyer, alors comment veux-tu jamais gérer une affaire qui marche ? Tu vas échouer avant même d'avoir eu un client.

Seth grinça des dents et continua sa route. « Cela ne te regarde en rien », se dt-il intérieurement. Garder son sang-froid, voilà ce qu'il fallait. C'était ce qui comptait le plus pour lui. C'était même essentiel. Car, dans son travail, le fait de garder ou pas son sang-froid pouvait être une question de vie ou de mort. Il avait appris à réfléchir avant de parler et, avant de prendre une décision, à toujours en calculer les conséquences.

Pourtant, il s'arrêta au bas de l'escalier et tendit l'oreille. Pourquoi Hannah ne répondait-elle rien ? Pourquoi n'envoyait-elle pas promener sa tante ?

— Et ta mère, Dieu ait son âme, qu'est-ce qu'elle dirait ? A la vue scandaleuse de sa propre fille dans les bras d'un homme qu'elle vient à peine de rencontrer… C'est honteux, Hannah Louise.

Seth était fou de rage.

— Réponds-lui, bon sang, dis-lui d'aller au diable, dit-il entre ses dents.

Mais Hannah ne se défendait pas. Il serra les poings et traversa le couloir. Il ne pouvait pas rester planté là, à écouter ça. Il fallait qu'il sorte immédiatement.

— Quel genre de femme crois-tu être ? Quel genre de mère ? dit Martha d'un ton aigu.

En entendant cette remarque, aussi puritaine qu'insultante, Seth se figea sur place, glacé. Cette fois, la duègne était allée trop loin.

Lentement, il fit volte-face et se dirigea vers le salon. Hannah était assise, raide comme la justice. Le visage pâle, les lèvres serrées, elle contemplait ses mains jointes sur ses genoux. Tante Martha se tenait debout devant la cheminée de briques, les bras croisés, le nez en l'air.

— Est-ce que tu as pensé à tes filles ? continuait-elle froidement. Est-ce que tu as pensé à quel point cela pourrait les… ?

— Arrêtez, s'exclama Seth en faisant irruption dans la pièce, les faisant toutes deux sursauter. Ne dites pas un mot de plus.

— Seth, s'exclama Hannah, avec une expression de panique, alors qu'elle se levait du sofa. Tout va bien.

— Comment ça, tout va bien ?

Il regarda la plus âgée des deux femmes, et se demanda comment Hannah pouvait être apparentée à une telle garce, pleine de condescendance. Son parfum de luxe flottait dans la pièce. Il mourait d'envie d'ouvrir en grand les fenêtres, espérant qu'une brise purifiante vienne les débarrasser de cette odeur.

— Je ne vous laisserai pas, je ne peux pas vous laisser lui parler comme ça.

— Cela ne vous regarde en rien, et je vous ordonne de sortir immédiatement, déclara tante Martha en lui lançant un regard réprobateur.

— Vous pouvez m'ordonner tout ce que vous voulez, je ferai comme bon me semble.

— Seth, s'il te plaît, l'implora Hannah en se rapprochant de lui, cela ne m'aide pas.

— Moi, ça m'aide ! dit-il en soutenant le regard glacial de Martha. Est-ce que vous vous doutez à quel point cette femme travaille dur pour s'occuper de sa maison et de ses filles ? Savez-vous qu'elle se lève à 4 heures et demie tous les matins pour faire des muffins qui lui rapportent juste quelques dollars de plus ? Qu'elle assure deux jobs à l'extérieur et que, en plus, elle accepte tous les extra qu'on lui propose ?

Hannah lui frôla l'épaule, chuchotant son nom dans un soupir. Visiblement, elle était au désespoir, pourtant il ne put s'empêcher de continuer.

— Savez-vous qu'elle a presque entièrement retapé cette maison seule ? Que son bon à rien de mari ne lui donne pas plus que quelques dollars par mois ?

— Hannah, pourquoi ne me l'as-tu pas... ?

La femme se tut, puis, levant le menton, déclara froidement :

— Il ne tient qu'à elle de changer de vie. J'ai proposé à ma nièce de vivre dans une maison ravissante, d'envoyer ses filles dans des écoles privées. Du point de vue culture et courtoisie, Boston a énormément à offrir. Parce que, franchement, Ridgewater, en dehors de son cake... Quelle absurdité !

— Il y a un cœur qui bat à Ridgewater, rétorqua Seth, froidement. Et un cœur, c'est précieux. Vous, vous semblez avoir perdu le vôtre.

Martha encaissa la critique d'un air surpris. Puis elle redressa les épaules et releva le menton.

— Je reçois beaucoup, je pourrais présenter Hannah à tous les gens en vue. Des gens qui pourraient l'aider à trouver une situation qui lui convienne.

— Elle a une situation qui lui convient, répliqua Seth, sentant à peine que la main d'Hannah se crispait sur son bras. Ici même, dans cette maison, dans cette ville. Elle est mère célibataire. Ses filles ne pourraient pas rêver meilleure mère. De plus, elle a vingt-six ans et ne devrait plus avoir à se justifier devant qui que ce soit de ce qui se passe dans l'intimité de sa propre maison. Et particulièrement devant quelqu'un qui n'a même pas la politesse de téléphoner ou, tout au moins, de frapper avant d'arriver sans prévenir, sans avoir été invitée.

— Seth, je t'en prie, laisse-moi régler ça, implora Hannah.

— Je refuse de rester là, à écouter ça. De toute évidence ton goût en matière d'hommes ne s'est pas arrangé, ma chère, déclara tante Martha en lançant un regard glacial à sa nièce. Je prendrai le prochain avion.

— Tante Martha, non, ne partez pas.

Hannah posa la main sur le bras de sa tante mais celle-ci se contenta de l'ignorer.

— Quand tu auras recouvré la maîtrise de tes sens, Hannah Louise, téléphone-moi. Peut-être pourrons-nous parler.

Elle ramassa son petit sac de cuir marron et se dirigea vers la porte d'entrée en continuant.

— Dans tous les cas, tu m'as prouvé une chose : tu ne fais que les mauvais choix. Dès le mois prochain, je mets la maison en vente.

Hannah devint toute pâle.

— Non, je vous en prie. Donnez-moi encore un peu de temps et je rembourserai ce que je vous dois. Je vous demande juste un peu plus de temps.

— J'ai été plus que patiente avec toi. Je me doute bien que ce n'est pas facile de s'apercevoir qu'on est en train d'essuyer un nouvel échec dans la vie, mais, quand les filles et toi serez à Boston, tu me remercieras.

Elle enveloppa Seth d'un regard plein de mépris et sortit. Hannah s'apprêtait à la suivre, mais elle s'arrêta, enroula ses bras autour d'elle, et murmura :

— Mais qu'as-tu fait Seth, mon Dieu, qu'as-tu fait ?

— Je ne pouvais pas la laisser te parler ainsi, dit-il gentiment en se mettant derrière elle. Tu ne mérites rien de ce qu'elle a dit.

Hannah le regarda, ses yeux bleus brillaient de colère.

— Elle est toujours comme ça quand elle est contrariée. Si je la laisse fulminer pendant un moment, elle finit par se calmer. J'aurais pu gagner un peu de temps. Maintenant, je ne sais pas.

— Bon sang, Hannah ! Il s'écarta d'elle et se passa une main dans les cheveux. C'est un véritable tyran. Une sale snob.

— Elle est également propriétaire de la moitié de la maison. Et elle n'a pas besoin de ma permission si elle décide de vendre.

— Les banques font des prêts aux petites entreprises. Tu as des amis ici qui pourraient t'aider, moi aussi je pourrais t'aider.

— Non, répondit-elle en secouant la tête, les banques ne font pas de prêts aux mères célibataires sans garanties. Je refuse d'emprunter de l'argent à des amis et je refuse absolument de t'emprunter de l'argent à toi.

En entendant ces mots, il tiqua et se contracta.

— Tu n'as pas besoin d'elle, Hannah. Tu n'as pas besoin qu'on te traite aussi mal.

— Tu ne me connais pas assez bien pour savoir ce dont j'ai besoin, répondit-elle durement. Dans quelques jours, tu auras repris la route, et moi, je serai toujours ici, à essayer de vivre au jour le jour. Tu n'avais pas à intervenir.

— Je t'en prie Hannah, est-ce que tu peux juste… ?

— Je ne veux plus en parler.

Elle se détourna, attrapa son sac sur la table et en tira ses clés de voiture.

— Pourquoi n'irais-tu pas jeter un coup d'œil à la ville ? Le restaurant local sert des omelettes et le meilleur hachis parmentier du monde. Si tu préfères, tu as aussi un bar avec un billard et des fléchettes. Les filles ne rentrent pas avant 19 heures et je voudrais en profiter pour travailler dans la maison.

Il la regarda avec méfiance et sentit son cœur se serrer.

— Si tu veux que je parte, tu n'as qu'à le dire.

— Je viens de te le dire.

En attrapant les clés, il prit sa main dans la sienne.

— Je veux dire : si tu veux que je fasse mon sac et que je parte, dis-le.

Elle se raidit un instant, puis leva son regard vers lui. Elle semblait fatiguée. Lasse.

— Si je voulais que tu fasses ton sac et que tu partes, je te le dirais, dit-elle doucement. J'ai simplement besoin d'être un peu seule.

Il ne voulait pas la laisser toute seule, bon sang. Pas comme ça. Et une chose était sûre, il n'avait aucune envie d'être mis à la porte non plus.

Et zut !

Il s'apprêtait à la prendre dans ses bras quand le téléphone se mit à sonner. Elle s'approcha de la petite table pour répondre, puis se tourna vers lui en lui tendant le combiné.

— C'est pour toi, un certain lieutenant Jarris.

Jarris ? Il ne manquait plus que lui !

— Oui ? répondit Seth en plongeant les yeux dans le regard impassible de Hannah.

Après un moment, il répondit :

— Deux semaines, je ne peux pas faire mieux.

Alors que Jarris se mettait à aboyer à l'autre bout du fil, Seth vit Hannah se détourner froidement pour prendre la direction des escaliers.

Bon sang de bon sang.

— J'y serai quand je pourrai, dit Seth d'une voix tendue, avant de reposer brusquement le combiné.

Il se frotta le visage d'une main et contempla les marches désertes.

Décidément, ce n'était pas son jour.

Hannah, assise à la table de la cuisine, recomptait pour la dixième fois depuis une heure les chiffres qui s'étalaient devant elle. Et quelle que soit la manière dont elle s'y prenait, elle arrivait toujours au même résultat : il était clair qu'elle n'avait pas assez d'argent pour calmer sa tante et pour régler les factures qui étaient déjà en retard.

Elle appuya ses coudes sur la table et mit son front entre ses mains. Sa nuque était douloureuse, ses yeux brouillés d'avoir passé tant de temps à regarder ces colonnes de chiffres. Elle était rompue. Elle finit par poser la tête sur ses bras croisés. Elle n'avait pas beaucoup dormi, la nuit dernière.

Elle avait passé les deux heures qui avaient suivi le départ de Seth à combler les dernières fissures de la chambre du premier. Puis elle avait pris une douche et, tout en ressassant les événements de la matinée, avait longuement laissé l'eau chaude couler sur son cou et ses épaules contractées.

Tante Martha ne lui pardonnerait jamais, Hannah en était sûre. Jamais personne ne parlait à la riche et influente Martha Richman de la sorte. Tout au moins, jamais Hannah n'avait entendu personne s'adresser à elle comme Seth l'avait fait. Visiblement, sa tante avait été choquée.

Malgré elle, malgré la situation, Hannah sourit. Elle restait certaine que Martha allait revenir. Qu'un jour, elle lui adresserait de nouveau la parole. Mais cet incident, elle allait en entendre parler pendant un moment. Toute sa vie, sans doute. Quant au fait que sa tante change d'avis au sujet du loyer, ce n'était même pas la peine d'y compter. Pas plus qu'il ne lui fallait espérait trouver l'argent pour payer ses factures et garder la maison.

Pour les chambres d'hôtes, ce n'était même plus la peine d'y penser non plus : si elle ne trouvait pas une solution pour régler sa situation financière, l'ouverture des Eglantines resterait un rêve.

Mais elle allait trouver. Il le fallait. Elle n'avait pas fait tout ce chemin pour rien.

Elle jeta un coup d'œil au réveil sur le poêle. Il était bientôt 16 heures. Il fallait qu'elle commence à préparer le dîner. Elle n'avait aucune idée du moment où Seth allait rentrer à la maison, mais elle voulait avoir quelque chose de prêt au cas où il aurait faim.

Etrange ! Quand elle pensait à lui, elle pensait « à la maison ». Pourtant, ce n'était pas chez lui. Elle savait qu'il ne faisait que passer, comme on disait ; savait que le coup de fil de son patron aujourd'hui visait sans doute à proposer une nouvelle mission, et donc, qu'après être allé à Wolf River, il regagnerait New Mexico.

Elle comprenait aussi que ce qui s'était passé entre eux était purement physique. Une délicieuse nuit de passion partagée, entre un homme et une femme. N'importe qui, à sa place, accepterait que chacun reprenne son chemin, que la vie continue.

Mon Dieu, si seulement elle était comme tout le monde ! Si son cœur acceptait ce que sa raison, elle, avait parfaitement compris : à savoir que, bientôt, Seth serait parti, qu'elle ne le reverrait sans doute jamais… Si seulement cela n'avait pas l'importance que cela prenait…

Hannah poussa un profond soupir et, laissant sa tête reposer au creux de son coude, écouta les bruits familiers du voisinage qui lui arrivaient par la fenêtre ouverte : c'était ici que ses grands-parents et ses parents avaient vécu, c'était ici qu'elle voulait élever Maddie et Missy.

C'était sa maison, bon sang ! Chez elle, chez les filles, dans sa ville. Elle n'avait rien à faire dans une luxueuse résidence de rêve, aux sols de marbre, à Boston. Peut-être irait-elle un jour, mais il faudrait se battre pour lui faire quitter Ridgewater.

S'il le fallait, elle mènerait cinq jobs de front. Dix jobs. Ce qu'il faudrait.

Mais, pour l'instant, elle avait juste besoin de se reposer une minute. Elle avait besoin de reprendre des forces. Elle ferma les yeux et se laissa aller à somnoler. Une minute, peut-être deux, pas plus.

C'est ainsi que Seth la trouva, une demi-heure plus tard. Couchée sur la table, la tête reposant sur ses bras. En la voyant assise là, paisiblement endormie, il sentit un petit pincement au cœur. Sa main se resserra autour du bouquet d'œillets roses caché derrière son dos, qu'il avait acheté, en gage de paix, au marché local.

Il allait la laisser dormir.

Il s'apprêtait à se retirer lorsqu'elle remua, et battit des cils. Elle murmura :

— Quelle est cette odeur divine ?

— C'est de la pizza.

Un autre gage de paix. Il s'avança dans la pièce, posa la boîte en carton sur la table et s'assit en face de la jeune femme.

— J'espère que tu aimes les pepperoni ?

— Tu n'avais pas à faire ça, je m'apprêtais à préparer le dîner, dit-elle en levant la tête et en s'étirant.

— Eh bien, si tu n'en veux pas, je vais la mettre à la poubelle, dit-il.

Et il fit mine de se lever. Elle tendit une main vers lui et lui attrapa le bras.

— Repose-la sur la table, ou tu es un homme mort.

Il se rassit, souriant, observant la lueur de plaisir dans ses yeux alors qu'elle soulevait le couvercle de la boîte. Elle ferma les yeux et huma l'odeur savoureuse d'épices et de tomates. Elle s'apprêtait à en prendre un morceau lorsqu'il lui offrit les fleurs.

Elle s'immobilisa, fixa le bouquet puis leva les yeux vers lui.

— Seth, tu n'aurais pas dû…

— Arrête de dire que je n'aurais pas dû. Tu as raison, je n'aurais pas dû. Mais je voulais.

Il n'avait pas l'habitude de faire des excuses. Il n'aimait pas ça. Légèrement renfrogné, il tendit les fleurs. Le regard de Hannah s'adoucit, et elle prit le bouquet.

— Merci, dit-elle en respirant les jolis boutons roses.

— Ecoute, je suis désolé d'avoir mis mon nez dans ce qui ne me regardait pas, tout à l'heure. Tu as raison. Ce n'était pas mes affaires. Dis-moi ce que je peux faire pour arranger les choses entre toi et ta tante : louer un panneau d'affichage, un avion publicitaire, écrire « Je suis désolé » avec mon sang, tout ce que tu voudras.

Il aurait préféré avaler du verre plutôt que de faire des excuses à cette femme futile et snob, à ce dictateur en jupons.

— J'apprécie ton offre, mais tu n'as rien à faire. Personne ne sait mieux que moi à quel point tante Martha peut être exaspérante. Elle aura vite fait d'oublier.

— Tu ne mens pas très bien, Hannah, dit-il paisiblement. Ce n'est pas une critique, c'est une observation.

— Bon, d'accord, peut-être ne va-t-elle pas exactement oublier, répondit-elle en haussant les épaules. Elle doit probablement encore être en train de ressasser la remarque sur son manque de cœur.

— Mon Dieu, Hannah, je suis désolé, dit-il en se passant une main dans les cheveux. Je n'aurais jamais dû dire ça.

— C'était super.

— Quoi ?

— J'ai dit, c'était super. Tu as été super.

Elle déballa les fleurs, puis les plongea dans un vase qu'elle avait rempli d'eau. Seth la regarda, sceptique.

— Vraiment ?

Elle posa le vase sur la table, à côté de la boîte de pizza, et se rassit :

— Jamais personne n'a pris ma défense comme ça. Pas depuis ma classe de CM2 et que Tommy Belgarden a mis un coup de poing à Joey Winter qui m'avait volé mon déjeuner.

Il lui prit la main.

— Bravo, Tommy !

Elle baissa les yeux sur ses mains jointes.

— Elle n'a pas toujours été comme ça, dit Hannah, sereinement. Quand j'étais petite, elle venait voir ma mère et m'apportait des cadeaux. J'ai toujours une boîte orientale en bois, pleine de compartiments secrets, qu'elle m'a donné quand j'avais sept ans.

Hannah sourit à ce souvenir, puis elle soupira.

— J'avais huit ans quand elle s'est mariée avec oncle Lloyd et qu'elle est partie vivre à Boston. C'est là qu'elle a commencé à changer. Elle souriait moins, nous rendait rarement visite. Après la mort de ma mère, elle s'est mis en tête qu'il fallait que je vienne vivre avec elle. Depuis mon divorce et la mort de l'oncle Lloyd, elle devient de plus en plus exigeante. Je ne peux pas déménager à Boston. Ma vie est ici, à Ridgewater. Même si je dois travailler très dur, économiser sur tout. Et si je dois perdre la maison, soit. Mais je ne partirai pas d'ici.

Il brûlait d'envie de lui dire que tout irait bien, qu'elle n'aurait à aller nulle part, qu'elle ne perdrait pas sa maison. Que les quelques coups de fil qu'il avait passés cet après-midi le garantissait. Après l'épisode de ce matin, il valait peut-être mieux qu'il ne dise rien : peut-être n'apprécierait-elle pas son intervention. Mais quand on n'avait pas le temps d'attendre, il fallait agir. Or, du temps, ni lui ni Hannah, n'en n'avaient beaucoup.

Sa main semblait fragile dans la sienne, mais il savait la force qu'elle dissimulait. Jamais il n'avait éprouvé autant d'admiration pour une femme, jamais une femme ne l'avait ébloui comme Hannah Michaels.

A cette pensée, il se sentit submergé d'émotion. Lui lâchant la main, il lui montra la boîte de pizza en face d'elle.

— Mange.

Elle mordit dans une part, ses yeux bleus brillaient de plaisir. Elle murmura :

— J'étais affamée.

Lorsqu'il la vit passer la langue sur ses lèvres pour en effacer la sauce, il sentit sa gorge se dessécher. Lui aussi était affamé, mais pas de nourriture. Après la nuit qu'ils avaient passée ensemble, il lui était tout simplement impossible de rester assis là sans la désirer, sans avoir envie de la toucher, de l'embrasser, de sentir son corps nu frémir sous le sien.

Il opta pour une part de pizza. Cela l'empêcherait de penser à autre chose.

— Je suis désolée de t'avoir demandé de partir, tout à l'heure, dit-elle après un moment. Je n'aurais pas dû me montrer si...

— Pas de problème, Hannah. Cela m'a donné une chance de visiter la ville et de rencontrer des gens. Tu savais qu'on a vu la camionnette de Charlie Thomas garée dans l'allée de Mavis Goldbloom après 10 heures du soir ?

— Charlie, c'est le plombier. Peut-être Mavis avait-elle une urgence, répondit Hannah, une lueur malicieuse dans les yeux.

— C'est ce que disait Perry Rellas. Que Mavis avait des petits tracas à régler d'urgence.

— Seth Granger, honte à toi, dit Hannah. Tu n'es qu'un colporteur de ragots.

Il haussa les épaules et détacha un morceau de poivron qu'il mit dans sa bouche.

— J'en déduis donc que tu ne veux pas savoir ce que j'ai entendu sur Cindy Baker ?

Elle marqua un temps d'arrêt, lui jetant un regard curieux, puis releva le menton en faisant la moue.

— Certainement pas. Je connais Cindy Baker. Elle était *pom-pom girl* dans mon lycée.

— Très bien —, il finit sa part de pizza et en prit une autre. Cette pizza est vraiment délicieuse.

— C'est la meilleure.

— Excellente croûte.

— Ce qui fait toute la différence, c'est la fraîcheur des ingrédients.

Ils mangèrent en silence pendant un moment, puis elle posa sa pizza et le regarda, curieuse.

— Alors, tu me racontes ou pas ?

— Je te raconte quoi ?

— A propos de Cindy.

— Tiens, je croyais que je n'étais qu'un colporteur de ragots.

— Dis-le-moi, ou je te frappe.

Le visage fendu d'un large sourire, il se pencha vers elle et chuchota :

— Elle est partie pour Dallas.

Hannah se renfonça dans sa chaise et ouvrit des yeux étonnés.

— C'est tout ?

— Oui, mais c'est parce qu'elle va se faire gonfler les « pom-poms ».

— Oh ! s'exclama-t-elle en souriant. C'est excellent ! Et de qui tiens-tu ça ?

— De Billy Bishop.

— Billy Bishop ? Elle le regarda, les yeux écarquillés de surprise. Tu as sympathisé avec Billy Bishop ? L'homme que tu voulais tuer de tes propres mains ?

— Billy est un brave garçon.

Et même s'il l'avait bien énervé, Seth ne pouvait s'empêcher d'éprouver de la sympathie pour le gamin. L'injustice et la violence du monde n'avaient pas encore réussi à en faire un homme blasé, il débordait d'exubérance juvénile.

— On a bu quelques bières ensemble au bar et joué quelques parties de billard. Mais je l'ai prévenu : s'il écrit encore un mot sur moi, je serai obligé de lui casser le bras.

— Eh bien ! Le moins qu'on puisse dire, c'est que tu n'as pas perdu ton temps, aujourd'hui, commenta Hannah en hochant la tête. Elle tendit le bras vers lui pour lui essuyer une tache de sauce sur la bouche. Il la retint par le poignet.

— Désolée, dit-elle en rougissant, c'est l'habitude.

— J'aime bien cette habitude.

Il porta la main de Hannah à sa bouche et lui lécha le bout des doigts.

— Ça a du goût.

Il sentit le frisson qui parcourut son bras, et put lire la lueur de désir dans ses yeux.

— Tu sais que, maintenant, toi et moi aussi, nous alimentons les ragots ? dit-elle paisiblement.

— Vraiment ?

Il marqua un temps et la regarda.

— Ça va te poser un problème ?

Elle se pencha vers lui en frissonnant.

— Je peux parfaitement gérer. Je n'ai rien fait dont j'ai à rougir.

— Hum…

Il se mit à picorer la paume de sa main, puis goûta le pouls chaud et rapide à son poignet.

— Peut-être pourrions-nous y remédier.

— Peut-être, chuchota-t-elle. Nous avons au moins trois heures devant nous avant que les filles ne rentrent.

— Trois heures, ça devrait être suffisant, dit-il, entrelaçant leurs doigts et l'attirant vers lui pour l'embrasser fougueusement.

— Pour le moment, murmura-t-il.

Il la conduisit dans sa chambre, ferma la porte derrière eux. Et là, ils firent durer chaque minute…

10.

Seth avait eu à faire à des toxicomanes en manque, s'était vu braqué par un canon de 357, il avait déjà reçu un coup de couteau dans l'épaule. Il avait été projeté à trente mètres par une explosion de gaz, avait sauté d'une fenêtre d'appartement situé au deuxième étage pour esquiver une balle, avait été coincé par deux rottweilers menaçants.

Mais s'il y avait bien une chose à laquelle il n'avait jamais été confronté, c'était une paire de fillettes entêtées. Debout devant la porte de leur chambre, totalement désemparé, il tenait un plateau sur lequel fumaient deux bols de soupe brûlante.

Le surlendemain de leur retour du camp de vacances, les jumelles s'étaient réveillées avec un peu de fièvre et le nez qui coulait. Mais Hannah avait reçu ce coup de fil de Phoebe, lui demandant de remplacer l'une des serveuses de son restaurant. Seth avait donc proposé de garder les filles. Hannah avait commencé par refuser : quand elles étaient malades et qu'elles devaient garder le lit, ses petits anges avaient tôt fait de se transformer en démons. Mais devant son insistance, elle avait accepté à contrecœur. De plus, depuis le fiasco avec tante Martha, il avait toujours une dette envers elle.

De toute façon, cela ne devait pas être bien compliqué de faire la baby-sitter.

Il était loin de se douter de ce qui l'attendait : toutes les cinq minutes, les filles se levaient, réclamant un verre d'eau, un biscuit, un jus de fruits, une serviette, une histoire ou un jeu, ou mieux : de sortir s'amuser dans le jardin. Il avait nettoyé les biscuits avec lesquels elles avaient joué au Frisbee d'un lit à l'autre, rattrapé le verre d'eau qui était en train de se renverser, avant de ramasser les trois mille perles qui s'étaient échappées de leur boîte « Je fais mes bijoux moi-même ». Elles étaient de plus en plus rochons. Une dispute éclata lorsque Missy prit la poupée de Maddie et s'assit dessus. Il venait tout juste de réussir à les calmer que, déjà, c'était l'heure du déjeuner.

Il était littéralement éreinté.

— Votre maman m'a demandé de vous faire du bouillon de poule aux vermicelles.

— On ne veut pas de soupe, on déteste le bouillon de poule aux vermicelles, dit Maddie avec une grimace, en plongeant sous les couvertures. C'est dégoûtant.

— On veut des Choco Crisps, renchérit Missy.

Seth n'était pas trop sûr, mais s'il ne se trompait pas, les Choco Crisps, c'étaient ces céréales de petit déjeuner dont le taux de sucre était équivalent à celui d'une grosse bouchée au chocolat. Il allait plutôt essayer la cajolerie. Hannah n'approuverait certainement pas. Depuis qu'il était là, il avait remarqué qu'elle donnait des sucreries à ses filles uniquement en fin de repas, et encore, parcimonieusement.

— Si vous mangez bien votre soupe, je vous apporterai peut-être un bol de céréales.

Elles firent toutes deux non de la tête et Maddie annonça :

-On veut d'abord les céréales.

Génial. Depuis cinq minutes au moins qu'il essayait de les convaincre, il n'avait pas réussi à les faire changer d'avis.

— Après on mangera de la soupe, ajouta Missy.

Bien sûr ! Si elles croyaient l'avoir comme ça...

— Maddie, Missy, un petit bol de soupe, juste quelques cuillerées, un tout petit, petit peu. Vous pouvez bien faire ça pour moi ? S'il vous plaît ?

Voilà qu'il se retrouvait presque à les implorer d'un ton désespéré. Eh bien, tant pis !

Maddie et Missy lui jetèrent un regard furtif par-dessus la couverture.

— Peut-être, dit Missy en reniflant, mais à une condition : toi aussi tu dois manger de la soupe.

Bon, ça pouvait encore aller. Un peu de soupe, cela ne pouvait pas lui faire grand mal.

— D'accord.

— Et on doit faire semblant que la soupe c'est du thé.

Facile.

— Cette soupe est maintenant officiellement du thé.

Un grand sourire aux lèvres, les deux filles sautèrent du lit et se précipitèrent vers l'étagère pour attraper des petites tasses, soucoupes et cuillères.

— Hé ! vous n'avez pas le droit de vous lever.

— On ne peut pas prendre le thé au lit, expliqua Maddie en se précipitant vers la table d'enfant pour disposer la dînette.

Prendre le thé ? Hé là ! une minute...

Missy tira l'une des chaises :

— Tu t'assieds ici.

Oh non ! Non, non et non...

— On ne prend pas le thé, dit-il en secouant la tête, je suis un garçon, les garçons ne prennent pas le thé.

Rien au monde n'aurait pu le faire s'asseoir à une table d'enfants pour jouer à la dînette. Rien !

La lèvre inférieure de Maddie se mit à trembler. Les yeux de Missy s'embuèrent de larmes.

Seth serra les dents. Il ne céderait pas. Elles pouvaient pleurer toutes les larmes de leur corps, il s'en fichait. Il refusait de se laisser manipuler par deux fillettes de cinq ans.

Et il refusait absolument, obstinément, de jouer à prendre le thé.

Enfin de retour ! songea Hannah en franchissant la porte. Ses pieds lui faisaient mal, ses bras étaient douloureux d'avoir, pendant six heures, porté de lourds plateaux, mais elle sautillait presque de joie. Sa poche était gonflée de gros pourboires et Phoebe l'avait rémunérée au salaire horaire. D'accord, ce n'est pas ça qui allait payer les factures, mais cela pouvait toujours aider.

Le silence qui l'accueillit était plutôt bon signe. Pourvu que les filles dorment…

Elle se dirigea vers l'escalier, marqua un temps d'arrêt en haut des marches et tendit l'oreille. Des voix venaient de leur chambre. Visiblement, les jumelles ne dormaient pas. Elle poussa un soupir et, s'avançant, hésita en entendant la voix de Missy :

— Vous voulez un sucre ou deux ?

Elles étaient en train de jouer à la dînette ? Elles n'étaient donc pas au lit. Au moment où Hannah s'apprêtait à entrer, elle fut arrêtée par le son de la voix de Seth .

— Je voudrais six sucres, s'il vous plaît.

Hannah jeta un coup d'œil vers le coin de la chambre. Seth, de toute évidence trop corpulent pour une petite chaise, était installé par terre. Maddie était assise à côté de lui, sirotant un liquide qui avait une odeur de soupe, tandis que Missy était en train de compter six Smacks Coco d'une poignée de céréales.

Ses yeux s'écarquillèrent de surprise. Seth était vraiment en train de jouer à la dînette avec ses filles...

Hannah se baissa vivement, recouvrant sa bouche de sa main pour ne pas éclater de rire devant ce spectacle : cet immense flic bourru était en train de boire sa soupe par petites gorgées, une minuscule tasse à la main, en compagnie de deux chipies de cinq ans...

Toujours souriante, elle s'adossa au mur et écouta les filles parler de leur goûter d'anniversaire qui approchait : allaient-elles inviter des garçons ? Quel gâteau allaient-elles demander ?

Quand Seth suggéra le cake aux fruits, toutes deux pouffèrent.

— Que tu es bête !

Hannah sentit son cœur se serrer. Elle ferma les yeux : non ! Mais, au son de leur babillage joyeux, son émotion ne fit que s'intensifier. Elle avait la gorge serrée, les yeux embués de larmes. « Va au diable, Seth Granger, pensa-t-elle. Tout allait très bien avant que tu arrives. Nous étions parfaitement satisfaites et heureuses, toutes les trois ensemble. »

Elle s'essuya les joues. Elle, amoureuse de lui ? Oui. Profondément, éperdument, il n'y avait plus rien à faire pour y échapper. Elle avait fait le mauvais choix, ce n'était ni le moment ni l'endroit. Mais n'était-ce pas l'histoire de sa vie ?

Elle redescendit les escaliers sur la pointe des pieds. Elle avait besoin d'une minute pour reprendre ses esprits. De plus, cela ne ferait sans doute pas très plaisir à Seth qu'elle le trouve assis par terre, en train de prendre le thé dans un service de poupée. Sans doute imaginerait-il que cela pourrait nuire à cette image de gros dur qu'il se donnait tant de mal à entretenir. Jamais il ne comprendrait que, au contraire, il en devenait encore plus séduisant. Plus sexy, plus viril, plus désirable.

L'intensité avec laquelle elle voulait cet homme lui faisait peur. Et pas seulement dans son lit, mais dans sa vie. Elle ne comprenait pas comment cela avait pu arriver, en aussi peu de temps, mais les voies de l'amour sont impénétrables. C'était comme ça, elle n'y pouvait rien. Elle voulait la totale : la bague, le serment éternel, les bébés. A cette pensée, elle sentit son cœur se serrer.

Oh ! Combien elle désirait avoir des enfants de Seth.

Trêve de bêtises, se dit-elle en laissant tomber son sac sur la table basse et en se dirigeant vers la cuisine. Tout cela ne pouvait finir que par un cœur brisé.

Elle allait faire un gâteau, un énorme gâteau au chocolat garni de mousse de framboises. Cela lui occuperait les mains et l'esprit pour un bon moment.

Après, elle se gaverait de la moitié du fichu gâteau, seule.

Elle sortit les ingrédients en fredonnant le dernier tube de Shania Twain, versa de l'huile dans un verre-doseur, puis attrapa un œuf.

— Tu as toujours été dans ton élément, dans une cuisine.

Hannah se retourna brusquement au son de cette voix de basse, trop tristement familière. L'œuf lui glissa des mains et vint s'écraser sur le sol.

— Brent.

Debout sur le seuil, il la regardait, les mains dans les poches de son pantalon ajusté, couleur tabac. Il était bronzé, et ses cheveux bruns et courts étaient striés de mèches plus claires. Elle savait que la plupart des femmes craquaient pour ses yeux bleus et son sourire éclatant. Elle-même, n'avait-elle pas craqué ?

Mais maintenant qu'elle savait ce qui se dissimulait sous cette apparence de fils de bonne famille, il la dégoûtait.

— Tu as l'air en forme, Hannah. Tu es en train de faire le dîner ? s'enquit-il en désignant du menton le chemisier blanc à manches courtes et la jupe noire d'uniforme qu'elle portait.

Si seulement cet œuf n'était pas tombé par terre, elle le lui aurait balancé à la figure, simplement, pour voir l'expression de son visage de bellâtre.

— Que fais-tu ici ?

— Tu pourrais au moins faire semblant d'être contente de me voir, répondit-il en fronçant les sourcils. Surtout que j'ai de bonnes nouvelles.

— Tu vas transférer ton affaire en Antarctique ? demanda-t-elle, avant d'opter pour l'amabilité. Ou peut-être que ta dernière fiancée en date n'a pas encore découvert que tu vois aussi une belle rousse à Fort Worth ?

Il leva un sourcil, visiblement surpris de constater que Hannah était au courant.

— Tu me surveilles, ma chérie ? Tu n'as qu'un mot à dire et, toi aussi, je viendrai te voir.

Rien qu'en y pensant, elle en était malade. Comme elle détestait son ton mielleux ! Elle aurait pu lui raconter qu'elle tenait cette information du cousin de Phoebe qui était directeur de l'hôtel dans lequel il descendait à Fort Worth. Mais, pour dire la vérité, elle s'en fichait royalement.

— Tu peux téléphoner si tu veux voir les filles, répondit posément Hannah. Si tu as oublié le numéro, je peux te l'écrire.

— J'ai été très occupé, répondit-il avec un haussement d'épaules. Je viendrai peut-être les voir pour Noël. Je pourrais les emmener au cinéma.

Cela faisait bien trop longtemps qu'elle entendait ces mots pour pouvoir y croire. Il était réconfortant de savoir que, de toute façon, jamais il ne téléphonerait. Elle se retourna pour attraper une serviette en papier et essuyer l'œuf cassé.

— Dis-moi juste ce que tu fais là, Brent, j'ai à faire.

— Je t'ai apporté un chèque.

Elle le regarda avec méfiance. Jamais il n'avait apporté un chèque lui-même, jamais il n'en envoyait un avant d'avoir été relancé par trois coups de fil au moins.

— Bien sûr ! Et si je fais bien attention, je vais pouvoir financer trois, qui sait, quatre repas avec.

— Tu me fais de la peine Hannah, dit-il en tirant de sa poche un morceau de papier plié en deux. Le voilà. Tu peux aller l'encaisser, jusqu'au dernier centime.

Elle hésita, désorientée. L'air de rien, elle se retourna, s'essuya les mains et regarda le morceau de papier qu'il agitait. Son cœur se mit à battre plus vite, mais il était hors de question qu'il s'aperçoive de son trouble.

— Qu'est-ce qui se passe ?

Elle crut lire quelque chose dans ses yeux. De la peur, peut-être ? Mais son éternelle arrogance reprit vite le dessus. Il hocha la tête en fronçant les sourcils.

— Ne t'ai-je pas dit que je te paierais ta part quand la vente aurait été conclue ? Un jour, chérie, tu me feras confiance.

Quand les poules auront des dents ! Mais la curiosité l'emporta. Elle fit quelques pas dans sa direction en tendant la main pour prendre le chèque. Le visage fendu d'un large sourire, Brent le remit dans sa poche, attrapa Hannah par le bras, et l'attira vers lui.

— Lâche-moi.

Brent n'avait jamais été un homme doux.

— Tu pourrais peut-être être un peu plus gentille avec moi, dit-il en baissant la voix. Montrer un petit peu de reconnaissance.

— Lâche-moi, siffla Hannah entre ses dents, si tu ne me lâches pas, je...

— Lâchez-la !

Saisi par le son d'une autre voix masculine, Brent tourna brusquement la tête. Ses yeux s'écarquillèrent de surprise à la vue de l'homme qui se tenait à moins d'un mètre derrière lui. Il relâcha immédiatement Hannah.

— Mais qui êtes-vous, vous ?

Seth jeta un coup d'œil à Hannah. Debout, complètement immobile, tous les muscles du corps tendus, il bouillonnait de rage.

— Ça va ? demanda-t-il, d'une voix calme, contrôlée, qui laissait néanmoins deviner sa colère contenue.

— Ça va, répondit-elle prudemment, tout en soutenant son regard.

Seth lui fit un petit signe de la tête et se retourna vers Brent.

— Si vous touchez encore une fois à Hannah, assurez-vous d'abord d'avoir un bon dentiste et un bon orthopédiste. Compris ?

Brent pâlit sous son hâle, mais réussit à rassembler assez de courage pour répondre d'un ton outré :

— Je ne sais pas qui vous êtes, mon vieux, mais si vous croyez que parce que vous vivez à la colle avec...

La réaction de Seth fut si rapide que Hannah n'eut pas le temps de s'interposer. Brent se retrouva soudain immobilisé, un bras replié derrière le dos. Seth le conduisait d'une poigne ferme vers la porte d'entrée.

— Attends ! l'interpella Hannah.

Seth s'arrêta et la regarda, l'air sombre, les sourcils froncés.

Elle se précipita vers Brent, attrapa le chèque dans sa poche, puis, souriante, ouvrit la porte à Seth.

— Tu peux y aller, maintenant.

Seth jeta Brent dehors. Hannah referma la porte derrière lui. Quelques minutes plus tard, ils entendirent le bruit des pneus de sa Porsche crisser sur les graviers.

Hannah jeta un coup d'œil au chèque : tout ce qu'il lui devait depuis trois ans ! Incroyable !

Radieuse, elle se jeta dans les bras de Seth. Il la serra contre lui, mais il se sentait toujours aussi tendu. Elle lui couvrit le visage de baisers et, lentement, il sentit ses muscles se relâcher.

— Ce sale type n'a même pas demandé des nouvelles de ses propres enfants.

Seth ponctua sa phrase d'un gros mot.

— Ça n'a pas d'importance, répondit-elle, le souffle court, il n'a pas d'importance. Oh ! Seth, c'est tellement merveilleux. C'est une espèce de miracle, il a fini par me payer. Je ne vais pas quitter la maison. Je vais pouvoir régler les factures. Je peux ouvrir les Eglantines. Tout ce dont j'ai toujours rêvé.

Mais même quand Seth l'attira plus près pour un long baiser passionné — un baiser qui, si les jumelles n'avaient pas été au premier, les aurait conduits tout droit au lit —, et même quand elle l'embrassa à son tour, elle savait bien qu'elle mentait.

Car, depuis l'arrivée de Seth, tout avait changé. Tout ce qu'elle croyait vouloir, tout ce qui, comme elle le pensait, devait la combler, ne lui suffisait plus.

Elle se détacha de lui, souriant à travers les larmes qui lui brouillaient la vue.

— Je vais aller voir où en sont les filles, maintenant. Et quand je redescendrai, je vais te faire le plus gros gâteau au chocolat de ta vie.

— Voilà une offre à laquelle un honnête homme ne peut pas résister, répondit-il, ravi.

Il la reprit dans ses bras pour l'embrasser encore.

— Hannah Michaels, tu es une sacrée bonne femme !

Les paroles de Seth lui réchauffèrent le cœur, attisèrent son désir. Et c'est le cœur battant, les jambes flageolantes, qu'elle monta les escaliers. Mais pour le moment, pour cet instant volé au temps, elle se sentait heureuse comme jamais elle ne l'avait été.

Le Festival du Cake avait commencé.

Les habitants de Ridgewater et des villes avoisinantes arrivèrent en masse pour se joindre à la grande fête annuelle. Des effluves de poulet sauce barbecue et de hamburgers flottaient dans l'air chaud de septembre qui résonnait d'airs de musique country. Juché sur une tribune drapée de la bannière étoilée, protégé par une vitrine de plastique, on pouvait admirer le plus gros cake du monde.

Haut de un mètre trente et large de deux mètres, lourd de vingt-deux kilos de fruits et de noix, le gigantesque gâteau trônait au centre du stade.

— Superbe, non ?

Seth regarda le petit homme, à la calvitie naissante, qui se tenait à côté de lui : Charlie Thomas, le plombier. Mais faisait-il référence au gâteau ou bien à Hannah qui, devant la tribune, était en grande conversation avec le mari de Lori ?

— Epoustouflante, murmura Seth en regardant Hannah.

Et lorsque, à ce moment précis, elle regarda dans sa direction, il sentit son cœur se serrer. Charlie était en train de débiter des statistiques concernant le cake, mais il n'entendait rien.

Elle avait une robe neuve : lilas, longue et flottante, à encolure carrée, qui se boutonnait tout du long devant. Et quand elle avait descendu l'escalier ce matin, son joli visage légèrement empourpré, il s'était senti brûler de désir. Quel effet cela ferait-il de la regarder descendre ces escaliers tous les matins, de s'endormir chaque nuit dans son grand lit, de se réveiller en la tenant dans ses bras ?

Ils ne faisaient jamais l'amour quand les jumelles étaient à la maison, faisaient même attention à ne pas s'effleurer, si ce n'est pour un baiser ou une caresse volés. Mais dès qu'ils étaient seuls, ils tombaient dans les bras l'un de l'autre, haletants, avides de désir. La semaine avait vite passé. Il lui avait fait la surprise de daller sa salle de bains à l'étage. Il avait également peint la chambre du premier, avait remplacé les planches de la barrière du jardin et réparé un robinet qui fuyait dans le patio derrière la maison.

Il avait oublié combien le travail manuel était agréable. Réparer, puis savourer le résultat. Depuis combien de temps n'avait-il pas eu le sentiment d'avoir accompli quelque chose, n'avait-il pas éprouvé de la fierté ? Depuis combien de temps n'avait-il pas ressenti que ce qu'il faisait ou ce qu'il disait comptait pour quelqu'un ? Depuis combien de temps ne s'était-il pas senti vraiment dans son élément ?

Il n'avait aucun souvenir de la nuit de l'accident, de la nuit où il avait perdu sa famille. Mais ce qu'il savait, c'est que Seth Blackhawk aussi était mort cette nuit-là. Qu'il était devenu Seth Granger : une nouvelle maison, de nouveaux parents, une nouvelle école. Ses parents adoptifs avaient été de bons parents, ils l'avaient aimé à leur manière, sans effusions. Mais il lui avait toujours manqué quelque chose. Jamais il ne s'était senti dans son élément. Jamais.

Seth regarda autour de lui et observa l'énergie qui se dégageait des gens, leurs visages heureux, pleins d'enthousiasme. Tout cela lui était à la fois très familier, sans l'être.

Il se secoua et se força à écouter Charlie.

— Seth ! Viens voir, il vont couper le gâteau.

Les jumelles, les yeux brillants et les joues rougies par l'excitation, arrivaient en courant.

— Demandez pardon à M. Thomas, vous lui avez coupé la parole, dit Hannah qui arrivait derrière ses filles.

— Pardon, dirent-elles en chœur.

Puis elle attrapèrent chacune une main de Seth et le tirèrent vers elles.

— Allez, viens !

— Tu veux dire qu'ils mangent vraiment cette chose monstrueuse ? demanda Seth, incrédule, en regardant Hannah.

— Bien sûr qu'on la mange.

Les mains derrière le dos, elle leur emboîta le pas.

— Que croyais-tu que nous faisions avec ?

Il se laissait entraîner dans la foule qui grossissait.

— Ce que tout le monde fait avec le cake aux fruits. L'emballer et l'envoyer au suivant qui l'emballe et l'envoie au suivant, et ainsi de suite. On dit qu'il n'existe qu'un cake aux fruits, unique, qui tourne autour du monde. Evidemment, avec ce baby cake, finit-il en regardant le gâteau géant, il faut prévoir un avion-cargo pour pouvoir l'expédier où que ce soit.

Hannah leva les yeux au ciel en entendant ces bêtises, puis ramena son attention sur le maire, M. Mooney, qui s'apprêtait à prononcer le discours officiel saluant la découpe du gâteau. Il leva un couteau d'argent long de cinquante centimètres, le maintint au-dessus de sa tête comme un glaive et, sous les applaudissements et les sifflets de la foule, plaça un morceau de gâteau sur un plat d'argent.

— J'ai l'honneur de présenter la première part du gâteau de cette année à… Seth Granger.

Mon Dieu, pitié !

Seth, inquisiteur, plissa les yeux en direction d'Hannah, mais elle semblait tout aussi surprise que lui. Les filles étaient déchaînées. Il sentit qu'on le tirait en direction de la scène. Trop étonné pour résister, il fut obligé d'écouter une récapitulation de son acte de bravoure, avant d'accepter la part de gâteau.

La foule se fit silencieuse, le regarda intensément, et il se rendit compte que tout le monde attendait son avis. Il prit un morceau et le mit dans sa bouche.

La texture était compacte mais tendre. Un peu sirupeuse, avec des noix qui craquaient sous la dent et un léger goût fruité.

Nom d'une pipe ! Mais c'était bon.

Lorsqu'il leva sa fourchette, la foule lui fit une ovation. Mais quand Billy Bishop prit une photo, Seth fronça les sourcils d'un air mauvais.

Puis tout le monde eut droit à sa part et le Festival reprit son cours. Seth vit un homme, jeune et séduisant, attraper Hannah par la taille pour une danse country, et se précipita pour la lui enlever des bras. Il sourit à l'homme, dépité. « Elle est à moi, pensa Seth, dans son for intérieur, toute à moi. »

Ils se dirigèrent ensuite vers un stand de tir.

— Concentre-toi sur la cible, dit Seth en se plaçant derrière Hannah qui tenait une carabine. Il se pencha et leurs corps se frôlèrent. Vise bien et presse doucement la gâchette.

Elle se mit en position et, lorsque, innocemment, ses fesses frôlèrent le bas de son ventre, il se sentit brûler de désir.

Hannah rata le canard jaune en métal.

— Je ne suis pas très douée, dit-elle en fronçant les sourcils.

— Ça dépend de quel point de vue.

Et quand elle lui lança un coup d'œil par-dessus l'épaule, il prit l'air innocent. Ses joues s'empourprèrent :

— Tu me distrais.

— Je pensais justement la même chose.

Il se pencha vers elle et lui murmura au creux de l'oreille :

— Tu sens la barbe à papa. Je ne t'ai jamais dit combien j'aimais la barbe à papa ?

— Tu vas t'abîmer les dents si tu manges trop de sucre, insista-t-elle, mais il vit ses yeux bleus s'assombrirent de désir.

— La vie est pleine de danger, murmura-t-il. Parfois, il faut juste…

— Hé, Seth ! Je te cherche partout.

Et zut !

Seth se redressa en soupirant, et prit la main tendue de Ned, le garagiste.

— Bonjour Hannah, dit Ed, son fils, en regardant Hannah avec des yeux de vache. Lorsqu'elle lui sourit, le gamin devint cramoisi.

— J'ai des nouvelles, annonça le père en tendant une clé à Seth. J'ai pu finir la moto deux jours plus tôt que prévu. Ed l'a essayée, elle marche nickel… Et comme tout a été réglé par ton assurance, tu peux la récupérer quand tu veux.

Seth fixait la clé dans sa main. Il leva les yeux vers Hannah. Ses joues avaient pâli, ses yeux ne brillaient plus.

— Merci, dit Seth en mettant la clé dans la poche avant de son jean.

— Contente de te voir, Ned, dit Hannah avec un sourire crispé. Mais si tu veux bien m'excuser, je dois aller voir où en sont les filles, Lori les a emmenées au stand de maquillage.

Seth s'apprêtait à lui emboîter le pas. Mais qu'est-ce que cela changerait ? Qu'allaient-ils se dire ? Ils n'en n'avaient jamais parlé, mais tous deux savaient bien que sa moto réparée, il partirait. Comment allait-il leur dire au revoir ? Il n'en n'avait pas la moindre idée. Ni à Hannah ni aux filles. Il savait juste qu'il fallait qu'il le fasse.

— Reste, dit-elle. Il faut que tu parles affaires. Je reviens.

Son sourire s'élargit, mais ce qu'il put lire dans ses yeux ressemblait presque à de la panique.

Elle se hâta. Il se retourna vers Ed et Ned, pour parler mécanique. Mais Seth avait l'esprit ailleurs. Ses pensées allaient vers une jolie blonde en robe lilas et vers deux fillettes de cinq ans qui adoraient les Smacks Coco.

Sur la route qui la ramenait du festival, Hannah baissa sa vitre et laissa l'air vif et automnal entrer dans la voiture. Dans quelques jours, les vérandas et les devantures de magasins seraient décorées de citrouilles et d'épouvantails, pour être remplacés peu de temps après par les odeurs de pomme, de cannelle et de dindes rôties qui flotteraient dans l'air.

C'était une époque de l'année qu'elle avait toujours aimée : Halloween, Thanksgiving, Noël. Le festival du plus gros cake du monde donnait le signal des fêtes de fin d'année, il laissait anticiper les semaines à venir.

Mais ce soir, tout semblait différent. Elle ne ressentait aucun enthousiasme, aucune joie, aucun frisson d'impatience.

Ce soir serait la dernière nuit qu'elle allait passer avec Seth.

Elle se gara dans l'allée et le vit, devant la maison, assis sur sa moto. Son cœur se mit à battre la chamade.

Depuis que Ned lui avait rendu la clé de sa moto, ils n'avaient pas trouvé l'occasion de parler de son départ. Mais elle savait quand il allait partir. Elle l'avait lu dans ses yeux. Il partirait demain matin, elle en était sûre.

Elle ne le lui demanderait pas. Elle l'avait toujours su. Ils ne s'étaient fait aucune promesse, n'avaient fait aucun projet d'avenir. Il avait sa vie, son travail à New Mexico ; elle avait sa vie, ici, à Ridgewater.

— Où sont les filles ? demanda-t-il en la rejoignant sous le porche.

— Elles font une orgie de films de Mickey chez Lori où elles restent dormir, dit-elle avec un petit sourire forcé.

Normalement, après une journée aussi animée, elle ne les aurait pas laissé passer la nuit chez Lori, mais elle avait fait une exception. Elle savait bien que c'était égoïste, mais ce soir elle voulait Seth tout à elle.

Hannah ouvrit la porte et entra, suivie par Seth. Elle referma la porte derrière elle.

Ils se retrouvèrent dans le hall obscur, face à face, enveloppés par un silence de plomb.

— Hannah, dit-il doucement, je...

— Ne dis rien, dit-elle en tendant la main et en posant ses doigts sur sa bouche.

Puis elle les retira et, à la place, y posa ses lèvres.

— Ne dis rien, Seth.

Elle l'étreignit si vite et si fort qu'il en fut presque étonné. Un baiser les unit et ils s'en enivrèrent jusqu'à ce qu'il les laisse pantelants et sans forces. Il emporterait ça en partant, pensa Hannah. Son cœur, son amour.

Elle était jeune, peut-être aimerait-elle encore un jour. Mais jamais elle n'aimerait aussi profondément. Peut-être éprouverait-elle de la passion pour un autre homme, mais jamais une passion aussi intense. Il n'y aurait jamais un autre Seth. Et elle ne ressentirait plus jamais ça. Elle en était absolument certaine.

Elle serra les bras plus fort autour de son cou et l'attira plus près d'elle. Il soupira doucement. Leur impatience était telle qu'ils avaient le souffle court en se dirigeant vers la chambre, enlacés. Son pull tomba en bas de l'escalier, sa jupe devant la porte de la chambre. Entre deux baisers enflammés, ils s'arrachèrent mutuellement leurs vêtements et finirent par rouler nus sur le lit.

Elle sentit l'air froid sur ses seins que Seth réchauffa aussitôt de sa bouche gourmande. Il lui embrassa la poitrine ; de sa langue, lui en caressa les pointes. Il la faisait mourir de plaisir.

Leurs corps se mêlaient divinement. Dans les bras de Seth, Hannah ondulait. Ses mains agrippaient les hanches de son compagnon, en accompagnaient le mouvement passionné. Très vite, elle se cambra, sentant que le plaisir lui faisait lâcher prise. Et soudain, la jouissance les saisit ensemble…

Ils roulèrent sur le côté, face à face, essayant de reprendre leur respiration, de recouvrer quelques forces.

Le cœur d'Hannah battait fort quand elle se tourna vers lui et lui caressa la joue. Il mit son visage dans sa main et lui embrassa la paume.

— Je t'ai bousculé, je suis désolée, chuchota-t-elle.

— On a encore le temps, dit-il en riant.

Pas assez, pensa-t-elle, vraiment pas assez. Mais il ne fallait pas y penser pour le moment. Elle ne pouvait pas.

Leurs corps nus étaient baignés par des rayons de lune. Hannah se recula de quelques centimètres et, prenant appui sur son coude, posa sa tête au creux de sa main et contempla Seth pour graver ses traits et sa silhouette dans sa mémoire : sa mâchoire vigoureuse, son large torse, ses jambes longues et musclées.

— Il y a quelque chose qu'il faut que je sache, dit-elle, laissant glisser son doigt du lobe de son oreille à son menton. Je veux la vérité.

— Je ne pourrais pas te mentir, Hannah.

Elle savait qu'il ne lui avait jamais menti, qu'il s'était toujours montré parfaitement honnête.

— Le chèque que Brent m'a subitement apporté ? C'était toi ?

— Hannah, je...

— La vérité, Seth, s'il te plaît.

Gauchement, il changea de position.

— Je suis désolé, tu m'avais demandé de rester en dehors de tout ça.

Elle l'interrompit d'un baiser.

— Merci.

— Tu n'es pas furieuse ? demanda-t-il en levant un sourcil.

— Bien sûr que non ! Il m'a fallu deux, trois jours pour comprendre, mais j'aimerais quand même bien savoir comment tu as fait ton compte.

— J'ai passé un ou deux coups de fil, répondit-il avec un haussement d'épaules. On lui a suggéré en haut lieu que, s'il voulait éviter que tous les Etats, les villes et les gouverneurs, fassent obstruction à ses projets, quels qu'ils soient, il valait mieux qu'il règle certains détails financiers.

— Tu as pu faire ça ? dit-elle.

Elle battit des paupières sur ses yeux humides…

— Ce n'était pas très compliqué. Hé, non. Ne pleure pas, dit-il en essuyant une larme qui coulait sur sa joue.

— Je ne pleure pas, mentit-elle. Je suis simplement… reconnaissante, c'est tout.

Et reconnaissante de tant de choses ! Elle aurait voulu pouvoir le lui dire. Elle savait combien elle allait souffrir, mais néanmoins elle était heureuse qu'il ait croisé sa route, tellement heureuse !

Après de longues minutes, elle brisa le silence.

— Seth, je pense qu'il vaut mieux que je dise au revoir aux filles pour toi. Elles risqueraient de ne pas comprendre.

« Moi non plus, je ne comprends pas », avait-elle envie d'ajouter. Elle poussa un soupir, il la prit dans ses bras. Elle se serra fort, très fort, contre lui, se laissant emporter par cette fièvre pour oublier, rien qu'un instant, que demain matin, il ne serait plus là.

11.

Un train électrique miniature était installé dans un coin du bureau lambrissé de chêne de Henry Barnes. Seth contemplait la reproduction méticuleuse de la petite ville minière du Far-West, son épicerie, son hôtel et son saloon. La petite locomotive 1800, noire et brillante, était fidèle à l'originale, dans les moindres détails : la cloche en fonte, le sifflet.

Cela ne faisait que deux jours qu'il était parti de chez Hannah, mais il avait l'impression que cela faisait beaucoup plus longtemps. Il avait pris la route à l'aube, hier, après avoir embrassé Hannah dans son sommeil. Il avait eu trop peur de ne pas pouvoir partir si elle avait été réveillée.

Mais ils avaient eu toute le nuit pour se dire au revoir. Ils avaient parlé des filles, du festival, de sa moto. De tout, sauf de son départ. N'était-ce pas le sujet qu'ils voulaient tous les deux éviter ?

La sonnerie du téléphone de la réception vint interrompre le fil de ses pensées. Il reporta son attention sur la maquette. Pour le Noël de ses six ans, son père avait rapporté un train électrique et l'avait installé sous l'arbre. Il se souvenait de l'odeur des aiguilles de sapin, des décorations de cristal, des lumières blanches qui scintillaient, des chants de Noël que sa mère mettait en musique de fond.

Et Rand et lui avaient joué pendant des heures : après vingt-trois ans, il allait bientôt se retrouver face à face avec son frère. Les yeux dans les yeux. Il en était tout fiévreux.

— Désolé de vous avoir fait attendre, dit Henry Barnes en entrant dans le bureau.

L'avocat aux cheveux grisonnants portait une veste de sport anthracite sur une chemise blanche, un jean et des bottes de cow-boy. Sa poignée de main était franche et sincère. Seth se détendit un peu. Henry s'enfonça dans son fauteuil et lui fit signe de prendre place dans le fauteuil de cuir en face de lui. Il avait une expression pensive.

— Bon sang, qu'est-ce que vous vous ressemblez, tous les deux ! fit-il en secouant la tête. Ça doit être l'affaire la plus renversante que j'ai jamais eu à traiter.

— Je croyais que mon frère allait être là, dit Seth, qui commençait à brûler d'impatience.

— Nous sommes tombés d'accord : il vaut mieux que je vous explique d'abord certaines choses. Qu'on se débarrasse de l'essentiel.

Henry s'assit et ouvrit le dossier.

— Tout est là, dit-il. Les dates, les heures, les noms. On peut tout passer en détails, maintenant, ou alors je me contente de vous donner la version courte et vous emportez le dossier.

— Je préfère la version courte.

— Je pensais que c'est ce que vous diriez, dit Henry, souriant. Mais même la version courte risque de prendre du temps.

Il appuya sur le bouton de son interphone.

— Judy, pourrions-nous avoir deux tasses de café, s'il vous plaît ? Et merci de ne me passer aucun appel.

Il s'installa alors confortablement et recommanda à Seth d'en faire autant. Puis Henry résuma l'incroyable : William Blackhawk, le propre oncle de Seth, avait orchestré toute cette supercherie. Il n'avait jamais pardonné à ses deux frères, Jonathan et Thomas, de s'être mariés à l'extérieur de la réserve indienne. Ils les avaient fuis, leurs familles et eux, alors que tous vivaient à Wolf River.

C'était le shérif de la ville, Spencer Radick, qui, premier arrivé sur les lieux de l'accident, avait prévenu William. Il avait disparu de la ville deux mois plus tard et on ne l'avait pas revu depuis.

Rosemary Owens, la gouvernante de William, avait recueilli Rand cette nuit-là et l'avait gardé chez elle jusqu'à ce qu'il soit adopté par une famille de San Antonio. Six semaines plus tard, elle quittait Wolf River pour le Vermont, où elle était morte d'un cancer des poumons six mois auparavant.

Leon Waters, un avocat véreux de Granite Springs avait arrangé les trois adoptions illégales et avait produit de faux certificats de décès. C'était également Waters qui avait emmené Seth le jour de l'accident et qui avait pris les dispositions pour que les Granger l'adoptent immédiatement. Il avait fermé son cabinet peu de temps après et avait disparu.

Tous avaient été achetés par William Blackhawk. Et la supercherie n'aurait peut-être jamais été découverte si, après la mort de Rosemary, on n'avait trouvé son journal relatant tous les détails sur les événements de cette horrible nuit, et des jours qui avaient suivi. Le document avait été envoyé au seul Blackhawk qui vivait toujours à Wolf River, Lucas, un cousin dont Seth ignorait l'existence. Il avait un ranch à la sortie de la ville, il était marié et avait deux enfants.

Seth ne se souvenait pas de son oncle. Il ne comprenait pas comment un homme adulte pouvait tourner ainsi le dos à sa propre famille, allant jusqu'à falsifier la mort de trois enfants avant de, cruellement, les faire tous trois adopter. Mais si, il comprenait ! La plupart des crimes étaient commis par cupidité. S'il y avait bien une chose qu'il avait apprise dans son métier, c'était ça : la cupidité et la passion. William était dévoré par les deux. Cupidité de la terre et de l'argent — beaucoup d'argent apparemment — que le grand-père de Seth avait légué à ses trois fils par testament. Et sa passion attisée par sa haine des femmes anglo-saxonnes de ses frères et de leurs enfants.

Si son oncle n'avait pas péri dans un accident d'avion deux ans auparavant, Seth aurait pu le tuer de ses propres mains.

Deux heures plus tard, Seth, de la fenêtre de sa chambre d'hôtel, regardait la ville qui s'étalait à ses pieds. Il reconnut des tas de lieux familiers : le drugstore, l'enseigne du coiffeur, le restaurant.

D'autres souvenirs de son enfance lui revinrent à la mémoire. Mais ce qui restait le plus présent, c'était les odeurs et les bruits, pas les noms et les visages. L'odeur du pain chaud de la boulangerie, le goût riche et onctueux d'une glace à la fraise sur un cône en gaufrette, le gong profond et caverneux de la cloche de l'église le dimanche matin.

Il avait encore quelques comptes à régler, des hommes à retrouver, justice devait être faite. Mais ce serait pour plus tard.

La seule chose qui comptait pour le moment, c'était Rand et Lizzie. Rand était rentré à Wolf River, où il comptait s'installer avec sa fiancée, mais on cherchait toujours Lizzie.

Seth jeta un coup d'œil vers le téléphone. Il savait que son frère attendait son appel. Il se dirigea vers l'appareil, prit le combiné, mais le reposa aussitôt.

Il ne se sentait pas encore assez maître des ses émotions. La tête lui tournait encore de ce flot de nouvelles. Il allait attendre quelques minutes, le temps de recouvrer ses esprits, puis il appellerait.

Il repartit vers la fenêtre. Une blonde aux cheveux ondulés était en train de sortir du drugstore. Son cœur s'arrêta de battre. Il avait cru voir Hannah. Ce n'était pas elle, bien sûr. Il secoua la tête. Qu'il était bête !

Il avait le cœur serré. Elle lui manquait, mon Dieu, comme elle lui manquait. Les jumelles aussi, d'ailleurs.

Il se détourna de la fenêtre et fixa de nouveau le téléphone.

Non. S'il lui téléphonait, cela allait encore compliquer les choses entre eux. Compliquer encore leur relation. Hannah méritait plus que ce qu'il pourrait jamais leur offrir, à elle et aux filles. Jarris attendait qu'il rentre à New Mexico, il l'avait déjà prévenu que sa prochaine mission serait longue et périlleuse. Exactement le genre de boulot que Seth réclamait par le passé, qu'il attendait avec impatience.

— Et zut !

Il se passa une main dans les cheveux et se dirigea vers la porte. Il y avait un bar en bas. Il allait boire une bière, manger quelque chose, puis il appellerait Rand.

Hannah occupant toujours ses pensées, il ouvrit la porte et se figea en voyant l'homme debout dans le couloir.

Il avait l'impression d'être en train de contempler son reflet dans un miroir. Ils ne bougeaient ni l'un ni l'autre, ils se regardaient fixement, les muscles tendus, retenant leur respiration.

— Rand ? la voix de Seth était presque un murmure.

— Salut, Seth !

Seth sentit son estomac se nouer. Vingt-trois années s'effacèrent d'un coup...

Il avait une boule dans la gorge. Son cœur recommença à battre dans sa poitrine.

— Bon sang !

Il ne semblait pas capable de dire autre chose.

Rand sourit.

— Tu peux le dire.

Et les deux frères tombèrent dans les bras l'un de l'autre en se donnant des grandes claques dans le dos.

Quand ils se séparèrent, ils avaient tous les deux les yeux humides. Mais pour rien au monde ils ne l'auraient avoué.

Seth essaya de cacher son émotion.

— J'allais te téléphoner.

— Oui ? Eh bien, je passais par là. Je ne suis pas le plus patient des hommes, ajouta-t-il en haussant les épaules.

— Maman disait toujours que tu avais la patience d'un mulot.

Ils sourirent à ce souvenir.

— Je n'ai jamais trop compris ce que ça voulait dire, dit Rand.

— Moi non plus.

— J'ai appris que tu étais flic.

— Et que, toi, tu élèves des chevaux ?

Ils avaient tellement de choses à se dire, tellement de temps à rattraper : une vie entière.

— Tu es au courant pour Lizzie ? s'enquit Rand.

— Je sais juste ce que Henry m'a dit : tu as engagé un détective privé pour la retrouver.

Rand approuva de la tête.

— Cela ne devrait pas prendre longtemps. Les gens qui l'ont adoptée vivaient à l'étranger à l'époque, mais nous pensons qu'ils sont maintenant quelque part sur la Côte Est.

— Elle ne va pas se souvenir de nous, dit Seth en pensant aux grands yeux bleus de sa sœur, à son sourire éclatant et à son rire contagieux. Peut-être ne voudra-t-elle pas se souvenir de nous ?

— Il faut prendre le risque, répondit son frère. Quoiqu'elle décide de faire, nous devons accepter sa décision et la respecter. Mais, au moins, elle saura la vérité. Elle le mérite. Nous le méritons tous.

Rand posa la main sur l'épaule de son frère et sourit.

— Que dirais-tu de revoir le ranch familial ? Je t'emmène, nous en profiterons pour bavarder.

Il sourit à Rand. Ce n'était pas une grande maison, mais c'était leur maison. Et si sa vie avait changé depuis la nuit où ses parents étaient morts, certaines choses ne changeaient pas : les souvenirs, les sentiments. Même après vingt-trois ans, Seth savait que Rand était toujours son frère, et pas seulement son frère de sang, mais son frère de cœur. Rien ne pourrait jamais effacer ce qu'ils avaient partagé enfants. Et même si Lizzie, comme il le craignait, ne se souvenait pas d'eux, il espérait que d'une manière ou d'une autre, elle sentirait ce lien.

Ce soir-là, Seth dîna chez son cousin Lucas. Il fit la connaissance de sa femme, Juliana, et de la fiancée de Rand, Grace. La conversation resta animée tout le dîner, les questions fusaient, les réponses étaient passionnantes. Il avait l'impression d'avoir une famille, d'avoir une maison. D'être chez lui.

Pourtant, quelque chose manquait.

Quelque chose n'allait pas. Quelque chose qui allait bien plus loin que le fait que Lizzie ne soit pas là pour prendre part aux réjouissances.

Il savait que, s'il pouvait se mentir à lui-même, s'enfuir le plus loin possible, il ne pouvait pas refuser d'admettre l'évidence.

Il prit une bouchée de tarte aux pommes en écoutant Grace décrire la façon dont Rand avait à lui tout seul délivré un petit troupeau de chevaux pris au piège dans un canyon. La regardant rire devant l'embarras qui se lisait sur le visage de son frère, Seth fut soudain frappé par une évidence : il savait exactement ce qui manquait, ce qui n'allait pas. Mais ce qu'il ne savait pas, ce à quoi il n'avait pas encore réfléchi, c'était ce qu'il allait faire à ce sujet.

Le rythme disco de la musique de Donna Summer faisait vibrer les murs du salon et trembler le lustre au plafond : quinze enfants étaient en train de jouer aux chaises musicales. John, le mari de Lori, orchestrait les opérations. Dès que la musique s'arrêtait, quinze gamins hurlant se précipitaient pour s'asseoir.

— Tu veux que je m'occupe de servir la glace maintenant ? cria Lori, essayant de couvrir ce charivari.

— Attends que le jeu soit fini, répondit Hannah en hurlant à son tour. J'ai mis une table derrière la maison, on va les servir dehors. Tu ne veux pas aider John ?

Ils avaient déjà chanté « Bon Anniversaire », avaient soufflé les bougies. Hannah avait envoyé les petits invités jouer pendant qu'elle découpait les gâteaux.

Les filles avaient changé d'avis une bonne douzaine de fois ces dernières semaines : allaient-elles fêter leur anniversaire au bowling, au minigolf, au parc ou à la pizzeria ?

Elle décidèrent finalement de le fêter à la maison. Etant donné la semaine qu'elles avaient passée après le départ de Seth, Hannah les aurait laissé inviter toute l'école, toute la ville même, si cela pouvait leur faire plaisir.

Quand elles étaient rentrées de chez Lori pour s'apercevoir qu'il était parti, elles avaient pleuré. Hannah avait fait de son mieux pour leur expliquer : il devait aller voir sa famille, rentrer dans le New Mexico où son travail l'attendait.

Hannah avait gardé ses larmes pour elle, la nuit, seule.

Les préparatifs de la fête était la seule chose qui avait réussi à les égayer, les filles et elle. Hannah s'était étourdie d'activités. Le soir, elle était complètement éreintée, et contente de l'être. S'occuper les mains et l'esprit, n'était-ce pas le meilleur moyen de guérir un cœur brisé ?

La musique s'arrêta de nouveau, les rires fusaient.

« C'est un peu à quoi ma vie ressemble en ce moment, pensa Hannah en remplissant les assiettes en papier de gâteau. A un jeu de chaises musicales : quand la musique s'est arrêtée, je n'ai pas trouvé de chaise pour m'asseoir. »

— Tout le monde dehors, s'époumona John une fois le jeu terminé.

Hannah, bien décidée à s'amuser, attrapa un chapeau de papier et se la mit sur la tête. Elle allait s'occuper de la glace.

— Je peux t'aider à faire quelque chose ?

Elle se figea au son de cette voix, puis, lentement se retourna, retenant sa respiration.

Seth...

Il se tenait debout sur le seuil de la salle à manger. Il était rasé de près, vêtu d'une chemise noire, d'un jean et de bottes de cow-boys. Appuyé contre le montant, les bras croisés, il constata avec un petit sourire moqueur :

— Joli chapeau !

Elle l'enleva aussitôt. Son cœur battait la chamade. Il lui fallut toute la volonté du monde pour ne pas courir se jeter dans ses bras et couvrir chaque centimètre de ce beau visage de baisers.

S'il n'y avait pas eu Maddie et Missy, c'est exactement ce qu'elle aurait fait. Elle se serait rendue ridicule, l'aurait imploré de rester. Mais ses filles méritaient mieux que ça. Elle-même méritait mieux que ça. Elle ne voulait pas qu'il reste un jour, une semaine. Elle voulait qu'il reste pour la vie, bon sang. Sinon, rien !

Elle sentit la colère l'envahir. Elle ne s'était même pas rendu compte que cette colère couvait depuis une semaine, n'attendait qu'un signe pour éclater. Si les filles le voyaient maintenant, il allait leur donner de faux espoirs, ce serait encore plus difficile quand il partirait.

— Pourquoi es-tu ici, Seth ?

Il s'avança vers elle. Son cœur fit un bond dans sa poitrine.

— Je voulais te parler de ma famille.

Il avait fait tout ce chemin simplement pour lui parler de sa famille ? Fait une étape sur la route de New Mexico pour bavarder un peu, avant de continuer sa route ?

Eh bien, sa famille ne l'intéressait pas du tout ! Pas plus que ce qui s'était passé, ce qu'il avait fait. Elle voulait qu'il parte. Qu'il sorte de sa vie !

Menteuse, menteuse. D'accord, elle brûlait d'envie de savoir, elle l'admettait. Désespérément : savoir tout, chaque minute, dans le moindre détail.

— Ça s'est bien passé ? dit-elle, posément.

— Très bien. Il fit un pas de plus. Mon frère retape la maison dans laquelle nous avons grandi. Il se marie le mois prochain et il m'a demandé d'être son témoin.

— Oh, Seth ! c'est merveilleux, dit Hannah, oubliant son cœur meurtri.

— Grace, la fiancée de Rand, te plairait. Et Juliana aussi, la femme de mon cousin, continua Seth en regardant les gâteaux sur la table.

— Tu as un cousin à Wolf River ?

— Oui, Lucas, il a des jumeaux et un petit garçon.

Elle allait finir par fondre en larmes s'il continuait à lui parler de sa famille. Les rires d'enfants fusaient dans le jardin. Il ne fallait pas qu'elle craque maintenant, avec tout ce qui lui restait à faire…

— Je suis très heureuse pour toi, Seth, vraiment très heureuse, mais il faut que je m'occupe de la fête. Qu'est-ce qui t'amène, de toute façon ?

— J'ai oublié quelque chose.

— Quoi ?

— Toi. Je t'ai laissée, j'ai laissé Maddie et Missy. Tu m'as manqué, ces trois semaines.

Son cœur se mit à battre furieusement.

— Qu'est-ce que tu es en train de dire, Seth ?

— Je suis en train de dire que je t'aime. Que j'aime tes filles. Que je veux que tu sois ma femme.

Il l'attira vers lui et l'embrassa.

— Veux-tu m'épouser ?

— Mais… ton travail ?

Il allait attendre un peu pour lui parler de l'héritage de cinq millions de dollars qu'il avait fait. Chaque chose en son temps.

— Je vais quitter mon travail. Je peux travailler ici. Ned et Ed ont besoin d'un mécanicien. J'ai tellement hâte que tu rencontres ma famille, je leur ai parlé de toi.

— Tu leur as parlé de moi ?

— Et pourquoi ne leur parlerais-je pas de la femme que j'aime ? Dès que nous aurons décidé d'une date, j'appellerai ma mère en Floride, elle a toujours souhaité que je fasse un grand mariage. Que penserais-tu du week-end avant Thanksgiving ?

— Mais… c'est dans trois semaines ?

— Tu préfères avant ? Pas de problème. Nous allons inviter toute la ville, demander à Billy Bishop d'imprimer le faire-part en première page de la gazette. Sans oublier tante Martha. Tu crois qu'elle viendra ?

— Elle viendra. Tu le croiras ou pas, mais elle m'a envoyé des fleurs cette semaine, pour s'excuser de sa conduite. Tu fais des miracles, Seth Granger.

— En fait, je voulais te dire, je vais reprendre mon vrai nom, Blackhawk. J'espère que cela te plaît.

— Madame Seth Blackhawk… Oui, ça sonne bien. Je t'aime, dit-elle les yeux humides lorsqu'il l'embrassa. Alors, cela ne te dérange pas de vivre ici, dans la patrie du plus gros cake du monde ?

— Il faudrait que je sois le plus gros imbécile du monde pour que cela me dérange.

C'est à ce moment-là que les jumelles déboulèrent, réclamant leur gâteau. A la vue de Seth, elles hurlèrent de joie et se précipitèrent vers lui. Il en cueillit une dans chaque bras.

— Quand on a soufflé nos bougies, on a fait le vœu que tu reviennes, et te voilà ! s'exclama Maddie.

— Notre vœu s'est réalisé, renchérit Missy.

— Le mien aussi, murmura-t-il.

Puis il serra Hannah et les filles dans ses bras. Cette fois, il était enfin arrivé au bout du chemin…

COLLECTION

Coup de folie

Quand l'humour fait pétiller l'amour

1 roman par mois, le 15 de chaque mois

Dès le 15 juillet, un nouveau Coup de Folie vous attend

Tête-à-tête amoureux, par Jennifer Drews - n° 13

Kim n'a qu'une idée en tête : gagner au plus vite Phoenix, où sa sœur l'attend. Oui, mais voilà, quand le destin s'en mêle, un simple voyage peut devenir une véritable épopée ! Et pour Kim, les ennuis commencent à l'aéroport, quand sa valise remplie de sous-vêtements a la très mauvaise idée de répandre son contenu sur le sol... C'est précisément à ce moment-là qu'elle rencontre Rick, un séduisant voyageur qui, bon gré, mal gré, devient son nouveau compagnon de voyage... et de fortune !

Chère lectrice,

Vous nous êtes fidèle depuis longtemps? Vous venez de faire notre connaissance?

C'est pour votre plaisir que nous avons imaginé un rendez-vous chaque mois avec vos auteurs préférés, vos AUTEURS VEDETTE *dans les collections* Azur *et* Horizon.

Les AUTEURS VEDETTE *vous donneront rendez-vous pour de nouveaux livres vedette.*

Pour les reconnaître, cherchez l'étoile... Elle vous guidera!

Éditions Harlequin

LE FORUM DES LECTEURS ET LECTRICES

CHERS(ES) LECTEURS ET LECTRICES,

VOUS NOUS ETES FIDÈLES DEPUIS LONGTEMPS?

VOUS VENEZ DE FAIRE NOTRE CONNAISSANCE?

SI VOUS AVEZ DES COMMENTAIRES, DES CRITIQUES À FORMULER, DES SUGGESTIONS À OFFRIR, N'HÉSITEZ PAS... ÉCRIVEZ-NOUS À:

LES ENTERPRISES HARLEQUIN LTÉE.
498 RUE ODILE
FABREVILLE, LAVAL, QUÉBEC.
H7R 5X1

C'EST AVEC VOS PRÉCIEUX COMMENTAIRES QUE NOUS ALLONS POUVOIR MIEUX VOUS SERVIR.

DE PLUS, SI VOUS DÉSIREZ RECEVOIR UNE OU PLUSIEURS DE VOS SÉRIES HARLEQUIN PRÉFÉRÉE(S) À VOTRE DOMICILE, NE TARDEZ PAS À CONTACTER LE SERVICE D'ABONNEMENT; EN APPELANT AU (514) 875-4444 (RÉGION DE MONTRÉAL) OU 1-800-667-4444 (EXTÉRIEUR DE MONTRÉAL) OU TÉLÉCOPIEUR (514) 523-4444 OU COURRIER ELECTRONIQUE: AQCOURRIER@ABONNEMENT.QC.CA OU EN ÉCRIVANT À:

ABONNEMENT QUÉBEC
525 RUE LOUIS-PASTEUR
BOUCHERVILLE, QUÉBEC
J4B 8E7

MERCI, À L'AVANCE, DE VOTRE COOPÉRATION.

BONNE LECTURE.

HARLEQUIN.

VOTRE PASSEPORT POUR LE MONDE DE L'AMOUR.

COLLECTION HORIZON

Des histoires d'amour romantiques qui vous mènent au bout du monde!

Découvrez la passion et les vives émotions qu'apportent à la Collection Horizon des auteurs de renommée internationale!

Captivantes, voire irrésistibles, ces histoires d'amour vous iront assurément droit au coeur.

Surveillez nos quatre nouveaux titres chaque mois!

La COLLECTION AZUR
Offre une lecture rapide et
stimulante
poignante
exotique
contemporaine
romantique
passionnée
sensationnelle!
COLLECTION AZUR... des histoires d'amour traditionnelles qui vous mènent au bout du monde!
Six nouveaux titres chaque mois.

Composé et édité
PAR LES ÉDITIONS HARLEQUIN
Achevé d'imprimer en juin 2003

BUSSIÈRE
GROUPE CPI

à Saint-Amand-Montrond (Cher)
Dépôt légal : juillet 2003
N° d'imprimeur : 33157 — N° d'éditeur : 9988

Imprimé en France